JN102314

\ 日本一
わかりやすい！ /

個人事業主・中小企業のための

補助金

獲得の教科書

株式会社ニューフォース 代表取締役

尾上昌人
Masato Onoue

イースト・プレス

Prologue はじめに

▶ 補助金は小さな会社のためにある

昨今のコロナ禍を背景に、個人事業主と中小企業が利用できる補助金の額は大変増えています。

2019年5,178億円だった国の予算は、2022年度は約4兆円となり、わずか3年で8倍に増加しています。

しかしながら、**実際に補助金を受給できているのは受給対象である個人事業主と中小企業を合わせた数である820万事業者の1%にすぎません。**

4兆円もの大きな予算があるのに、100社に1社しか補助金の恩恵を受けていません。

あまりにもったいないと思いませんか？

あまり知られていないことですが、**効率よく補助金申請すれば、個人事業主や従業員が数人の小さな会社でも年間1,000万円以上の返さなくていい公的資金がもらえるのです！**

本書はこれから補助金の申請を検討されている個人事業主と中小企業の方にどうしたらスムーズに補助金申請ができるかを知っていただくため、補助金申請の様々なノウハウをまとめた入門書です。

自社の経営に補助金を活用したい全ての方に、なるべく丁寧にわかりやすくを心がけています。

読むだけで、補助金の申請方法がわかった、補助金を申請してみたくなったと思ってもらえるような内容になっています。

ぜひ、楽しみながら気楽に補助金の知識を学んでいただけたらこんなに嬉しいことはありません。

ここで私の自己紹介をさせてください。

　私、尾上昌人（おのうえ・まさと）は、大学卒業後、大手証券会社に入社し、約400社の中小企業を開拓。株式の売買システムに携わったことで中小企業のIT化支援を目的として30歳で起業。コンサル先の企業のIT化を補助金で賄えるよう支援機関の認定を受けました。

　お客様、地元商工会などの紹介で年間100件以上の補助金申請の相談を受けています。「伴走支援」をモットーにしていますので、補助金申請のアドバイスはもちろん、お客様と補助金を使ったIT化による業務の改善、新事業による業態転換など事業の推進を支援しています。

　しかし、ご相談者の多くは「補助金は敷居が高かった」「どうやって申請したらいいかわからかった」というお声をいただきますので、まだまだそうしたお気持ちを抱え、補助金申請に踏み出せない経営者の方も多いのが実態だと思います。

　補助金によって、経営を大きく変える体験をもっと多くの経営者にして欲しいという思いは日に日に募るばかりです。

　本書は、補助金申請のための事業計画書の作成のエッセンスを他に類を見ないアプローチでまとめました。

　小規模事業者持続化補助金、ものづくり補助金、事業再構築補助金など、国の代表的な補助金の申請を主に想定していますが、地方自治体が実施する様々な補助金申請にも対応できるようにしています。

　なぜ制度の違う様々な補助金に対応できるのか？

　それは、**補助金の大半は、「売上アップによる生産性の向上を目的としている」という共通点に着目している**からです。

　売上アップのための新分野の開拓、商品・サービス設計、マーケティングなど、実施主体や制度の違いがあっても、共通して問われるのはビジネスモデルの作り方なのです。

それらが明確になったのちに、それぞれの補助金の要件や規定に合わせて、付け足しや修正を行うことで、事業計画書の作成にかかる時間を大幅に短縮でき、より質の高い事業計画書を作成することができます。

　特に第4章では、**会計やマーケティングの専門知識がなくても、3段階18ステップのワークシートに取り組んでいただくだけで、補助金申請のための事業計画書が作成できる**ようにしています。

　「専門知識を持たない経営者が数時間で質の高い事業計画書を作成する」という無茶な目標のため、数値計画においては思い切った簡素化を行いました。私の理解の不足や省略のしすぎがありましたらご意見を頂戴したいと思います。よろしくお願いします。

　本書により、一人でも多くの経営者が、補助金活用で大きく事業を発展させることを願って止みません。

本書のガイダンス

第1章　そもそも補助金とはなんなのか？を解説。

第2章　補助金のエッセンスがすべてつまった持続化補助金について。補助金の成功事例も掲載。

第3章　補助金申請になくてはならないクラウドサービスや認定制度をご案内。

第4章　3段階18ステップで難しいと言われる補助金の事業計画と数値計画を誰でも作れるように工夫したシート。流し読みするだけでも、事業計画書の作り方が理解できる。どんな補助金でも応用できるのが最大の特徴。

第5章　補助金の採択率アップのテクニックを公開。

第6章　自分で申請を出すために知っておくと慌てない知識を伝授する。

第7章　補助金は採択されてからがスタート。採択されてから補助事業が完了するまでの流れを丁寧に解説。

Contents

第3章　これだけは知っておこう！
補助金に関係する
クラウドサービスと認定制度　43

第4章　補助金申請のための事業計画書づくり
3段階18のステップ　51

第5章 ほとんどの人が知らない？ 採択率アップのテクニック

補助金は
小さな会社のためにある

国民の7割が働く中小企業を
応援する制度が補助金

「よく補助金って聞くけれどそもそも補助金って何？」
「補助金はうちの会社には関係ないかも？」

　日本には414万の事業所があり、その内訳は法人が196万事業所、個人事業主が218万事業所で、大半は中小企業や小規模事業者だ。

　日本の労働力人口の7割はそうした小規模な事業所に勤務している。そんな、日本にとって大切な中小企業を応援する制度が補助金。

　だから、誰にも補助金は身近な存在なんだ。

　えーっ！もっと大企業で働く人が多いと思ってた！

　そうなんだ！日本にとって中小企業はとっても大切！

▶ 日本の9割は中小企業　7割の人が中小企業で働く

全企業数
3,589,333 社

全従業者数
46,789,995 人

中小企業数
3,528,314 社（98.3%）

中小企業で働く従業者数
32,201,032 人（68.8%）

国は、令和4年の予算でも約2兆8千億円の補助金予算を確保している。つまり1事業所あたり1年で70万円近くも補助金を用意している。

　そのほか、県や市町村でも、たくさんの補助金制度があるので、すべての事業所にチャンスはある。

　特に新型コロナウイルスの感染拡大で売り上げが減少した事業者や、円安で収益の下がった事業者は補助金が受けやすくなっている。

　補助金をよく知って、もらえる補助金をしっかりともらってこの厳しい環境を乗り切ろう。

 中小企業を応援するのが補助金なのね。

▶ 補助金とは

　補助金とは、経済産業省や地方自治体が取り扱っている補助制度で、産業育成や生産性向上などその制度の目的に沿っている事業計画などに対して交付される。

 審査を行い、採択された事業所に支払われる

 1年を通して様々な時期に公募されており、
公募期間が短い（1週間〜数ヶ月）

 1/2や2/3など補助率が設定されている

 返済不要

▶ 本書で主に取り上げる補助金

　本書では、主に経済産業省が行う補助金を対象にします。その中でほとんど全ての事業所で申請可能な4つの補助金を取り上げます。

☑ **小規模事業者持続化補助金**
地道な販路開拓等の取り組みや、業務効率化の取り組みを補助する補助金
[補助金額]50万円〜200万円　[補助率]2/3〜3/4

☑ **IT導入補助金**
ITツールを導入する際に活用できる補助金
PCやタブレット、券売機なども補助対象
[補助金額]5万円〜450万円　[補助率]2/3〜3/4

☑ **ものづくり補助金**
革新的サービス開発・試作品開発・生産プロセスの改善を行うための設備投資等を支援する補助金
[補助金額]100万円〜2,000万円　[補助率]1/2〜2/3

☑ **事業再構築補助金**
思い切った事業再構築に意欲を有する中小企業等の挑戦を支援する補助金
[補助金額]100万円〜1億円　[補助率]1/2〜3/4

※2022年12月現在（申請の際は必ず公募要領等でご確認ください。）

国の支援制度には
「補助金」「助成金」「支援金」がある

 「補助金」、「助成金」、「支援金」の違いは？

　国や地方自治体が、中小企業や個人事業主を支援してくれる制度には様々なものがある。「補助金」、「助成金」、「支援金」の呼び名に関して、実は法律上の定義はない。そのため様々な呼び名が存在するので一般的な区分を覚えておこう。

○ 補助金

国や地方自治体の募集に応じ、事業計画を立てて、申請した事業所の中から審査が行われ、採択された事業所の行う事業の支出が補助される。助成金や支援金より、金額が大きく、認められる使い道も多いが、申請しても誰でももらえるものではないため対策が必要。

○ 助成金

事業所の従業員の労働環境の改善や雇用条件の改善を目標とした支援制度を「助成金」と呼ぶ。使途が限られ少額なものが多いが、従業員数に応じてもらえるものが多いため、従業員が多い会社はメリットも大きい。条件に合えば必ずもらえるものが多い。

○ 支援金

一定の条件を満たせば、対象者全てがもらえるのが支援金。補助金や助成金が毎年募集されるのに対して、新型コロナウイルス感染症など国や地方に大きな影響がある時に不定期に支給される。応援金・給付金など様々な名前で呼ばれる場合がある。

職場の環境改善は「助成金」、売上を上げたいなら「補助金」を使う

どうしてこの本では「補助金」を取り上げるの?

うん、それには深〜いわけがあるんだ!

「補助金」、「助成金」、「支援金」などそれぞれに特徴があることはここまでに述べたが、制度面だけでなく、その目的が大きく違う。

「助成金」は、厚生労働省が実施することが多いことからも分かるように職場環境の改善が主な目的になっている。

「支援金」は、過去の新型コロナウイルス感染症や円安対策でも分かる通り、社会不安を少しでも軽減するために行われるものだ。

一方「補助金」は、売上アップの目的で行われるものが大半。つまり、今よりも売上を上げたい事業所は「助成金」、「支援金」でなく、「補助金」の受給を目指す必要がある。

▶「支援金」「助成金」「補助金」の目的の違い

助成金	現状の職場環境を改善
支援金	急な変化やショックを和らげる
補助金	事業計画の作成と売上や生産性の向上

そうか！ 売上を上げる目的の支援制度は「補助金」だけなんだ

「補助金」は、主に経済産業省の中小企業庁が実施することが多い。中小企業庁は、日本の中小企業や小規模事業者の様々な統計や国際比較をしており、日本経済の柱である中小企業の強みと弱みをよく把握している。

　そのため、補助金には売上向上、生産性向上、事業の大胆な変革など中小企業が抱える問題を解決する目的の補助金を様々に実施している。

　それらのほとんどの補助金は、3〜5年後の事業計画の提出が必須になっていることが多い。つまり数年後の未来に自分のお店や会社が一体どうなっていたいのか未来をしっかり見据えておく必要がある。

 「現状を打破したい」と思ったら事業計画の作成に取り組もう！

　補助金のホームページには、様々な成功事例が掲載されている。強みを生かした事業計画を立て、補助金に採択されると、このような未来が待っているという、あなたの会社の未来像がそこにはある。

　これは、支援金や助成金ではできない補助金の大きな特徴である。

　つまり、売上を上げ、未来を変えたい経営者は、「補助金」の申請を検討する必要があるのだ。

売上を上げ、将来を変えたいなら
「補助金」を使うべき

個人も「開業届」を出せばその年から補助金対象の「個人事業主」になれる

 えーっと、補助金をもらえる資格はあるの？

　本書で紹介する補助金の大半が「個人事業主」を対象としている。個人事業主とは、法人を設立せずに個人で事業を営んでいる人のこと。税務署に「開業届」を提出して事業の開始を申請すれば、個人事業主として独立したことになる。

　最近話題のフリーランスも個人事業主の一種で、大企業も社員の個人事業主化を推奨するなど、多様化する働き方の選択肢の一つとして注目を集めている。

▶ 個人事業主はほとんどの補助金で補助対象となる

補助金名	補助対象
小規模事業者持続化補助金	小規模事業者・個人事業主
ＩＴ導入補助金	中小企業・小規模事業者・個人事業主
ものづくり補助金	中小企業・小規模事業者・個人事業主
事業再構築補助金	中堅企業・中小企業・小規模事業者・個人事業主

 じゃあ、開業したら、すぐに申請できる？

　あまり知られていないことだが、小規模事業者持続化補助金は、申請時に開業届を提出していることが条件なので、開業直後であっても申請ができる。ただし補助金によっては、納税証明書など一度決算を終えていないと用意できない書類が必要なこともあるのでチェックしてほしい。

採択されれば、支払った経費の 1/2から3/4が戻ってくる

 支援金は現金が振り込まれたけど補助金も同じ？

 事業費は全額「前払い」、一部の費用は「自己負担」が原則なんだ。

　我々の記憶に新しい「コロナ支援金」や「事業復活支援金」は、申請すれば銀行口座に振り込まれたけれど、補助金は、事業費の全額が「前払い」であり、使った経費の全額から「自己負担」を引いた額が後から振り込まれる。そのため、補助金の取得には全額の事業資金が必要だ。預貯金を使うか、金融機関から借り入れるかどちらかの方法で事業を行う必要がある。

▶ 補助金と自己負担の関係

補助経費の 2/3 以内、補助上限 50 万の場合

補助上限金額までは、総事業費の 2/3 が戻ってくるがそれを超えると全額自己負担となる

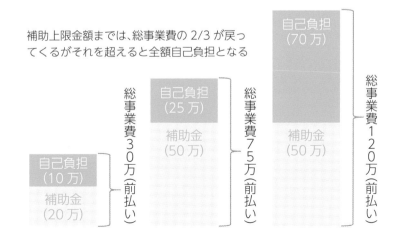

補助金申請の相談ができる
公的機関や支援機関ってどんなところ？

補助金について少しわかったけど、一人では不安だな〜。

大丈夫！　補助金には頼りになるサポーターが存在するんだ。

　はじめて補助金申請する際は、どんな経費が認めてもらえるのか、どんな書類が必要なのかなど、知っておかなければいけない知識が山盛りだ。

　一人で募集要項と格闘しても、時間ばかりがかかってしまう。本書で取り上げる補助金にはそれぞれ申請を助けてくれたり、一緒に申請をサポートしてくれる機関が存在する。あらかじめ、サポート機関を知っておこう。

①商工会議所・商工会

　商工会議所と商工会は、「中小企業や小規模事業者のために、秘密厳守・原則無料で経営相談などを行う」という共通した役割も持っている。

　どちらも地域の中小企業・小規模事業者にとっての、経営に関する「かかりつけ医」のような頼りになる存在。任意だが入会することで、セミナー参加や専門家派遣などのサポートが受けられる。

②IT導入支援事業者

　補助事業を申請者とともに実施する、補助事業を実施するうえでの共同事業者（＝パートナー）を「IT導入支援事業者」と呼ぶ。補助事業を進めようとする申請者に対し、適切なITツールの提案・導入・アフターサポートを実施する役割を担う。

また、補助事業に関する申請者からのお問い合わせ・疑問等について、事務局に代わって対応を行い、円滑な事業推進のサポートを実施する。

③経営革新等認定支援機関（認定支援機関）

　中小企業や個人事業主の相談相手として中小企業庁が認定する専門機関のこと。経営革新計画や事業継続力強化計画の策定支援のほか、ものづくり補助金、事業再構築補助金などの申請の際には、認定支援機関の推薦書がないと申請できない。商工会議所・商工会、銀行・信用金庫、公認会計士・税理士などが認定支援機関になっているケースが大半だが、一定以上の支援能力が認められたコンサルタントや法人が認定支援機関になっている場合もある。

 私の会社（株）ニューフォースは経営革新等認定支援機関でありIT支援事業者でもある！

④よろず支援拠点

　中小機構が47都道府県に設置している中小企業・小規模事業者の様々な課題に対応する無料の経営相談所。直接補助金の申請相談はできないが、適切なアドバイザーや認定支援機関を紹介してくれる。

⑤補助金コンサルタント・コンサルタント会社

　検索エンジンで「補助金」と検索すると様々な補助金コンサルタントやコンサルタント会社がヒットするが、高額なコンサルタント料や成功報酬を請求する業者もあるため注意が必要だ。

 まずは商工会議所など公的機関が安心できそう！

「採択」がゴールじゃない！
公募申請から効果報告まで

いよいよスタート！申請手順を教えて〜。

まず目指すのは採択。でも、採択は事業のスタートに過ぎない！

　補助金申請で目指すのはもちろん採択。補助金によっては公募申請した事業者のうち20〜30％しか採択されない狭き門の補助金もある。こうした採択率が低い補助金ほど、採択されたらうれしいもの。

　しかし採択に浮かれて事業実施がおろそかになっては本末転倒。本来目指すべきは、事業計画の達成、皆さんの未来を変えること。申請段階から事業終了後の効果報告までゴールをしっかり意識して事業期間を過ごすことで、事業計画は着実に実現してゆく。採択の何倍も充実できる事業の成功を目指そう。

補助金ごとで提出する書類や手順が違うから事前にチェック！

▶ **各補助金の必要手続き**

補助金名	事業計画の提出	確認書など	交付申請手続き	実績報告の提出	事業終了後の効果報告
小規模事業者持続化補助金	○必要	商工会議所商工会	×不要	○必要	実績報告後約1年間
IT導入補助金	×不要	IT導入支援事業者	×不要	○必要	実績報告後約3年間
ものづくり補助金	○必要	認定支援機関	○必要	○必要	補助事業終了後約5年間
事業再構築補助金	○必要	認定支援機関取引金融機関	○必要	○必要	補助事業終了後約5年間

▶［補助金の手順］公募申請から効果報告まで

　一般的な申請手順をお示しします。実際は各補助金の募集要項などに詳しく手順が書かれているので、この流れを参考にしながら全体像を描くことが大切。

① **公募申請**
事業計画と必要書類の提出

② **審査・採択**
公募申請を審査し、優秀な事業計画が採択される

③ **交付申請（ものづくり補助金・事業再構築補助金のみ）**
見積書・図面などを提出し、文付申請を行う

④ **事業開始**
交付決定されて初めて事業開始できる

⑤ **報告書の提出**
取り組んだ事業を報告し、補助金の交付を受ける

⑥ **事業終了後の効果報告**
事業の成果など補助事業の効果報告を行う

※2022年12月現在（申請の際は必ず公募要領等でご確認ください。）

Chapter **1**
Summary

Ⅰ 補助金は、日本の労働者の7割が働く中小企業や個人事業主を応援する制度

Ⅱ 補助金は、あなたが支払った経費の一部を補助してもらえるシステム

Ⅲ 開業届を出して「個人事業主」になればすぐにでも申請できる補助金もあるから、今すぐチャレンジを

Ⅳ 補助金をうまく利用すれば、あなたの会社は数年後に売上や利益が上がり、あなたの未来を変えることができる

個人事業主・小規模事業者は
持続化補助金をねらえ!

補助金は名前が難しいし、募集要項を読んだだけでは私が取り組む補助金がわからない。
手っ取り早く取り組める補助金はないかしら?

ほのかさんにぴったりのビギナー向けの補助金があるよ。

個人事業主、小規模事業者は
小規模事業者持続化補助金をねらえ！

じゃあ、どこから始めたらいいのかな？

個人事業主や比較的小規模な会社なら、
「小規模事業者持続化補助金」を狙おう！

▶「小規模事業者」の対策は国の重点施策

　日本の中小企業、個人事業者の9割を占めるのが、「小規模事業者」だ。国は、この「小規模事業者」を手厚く保護する政策を取っている。その政策の一つが「小規模事業者持続化補助金」だ。どんな事業者が「小規模事業者」にあたるかは下の表で確認してほしい。

「小規模事業者持続化補助金」の対象事業者

商業・サービス業（宿泊・娯楽業除く）	常時使用する従業員の数 5 人以下
宿泊・娯楽業	常時使用する従業員の数 20 人以下
製造業その他	常時使用する従業員の数 20 人以下

※常時使用する従業員には、会社役員や個人事業主本人、一定条件を満たすパートタイム
　労働者は含みません。詳細は補助金事務局ホームページを確認ください。

▶「小規模事業者」の実情に合わせた補助金

　小規模事業者は、高齢化や設備の老朽化などの悩みに加え、コロナウイルスや物価高など広範囲に課題があるため、この補助金は小規模事業者の実情を踏まえて、様々な経費が補助対象となる。

▶ 幅広い経費が補助対象に

　小規模事業者持続化補助金は、現在のところ下記のような11種類の経費に対して補助金が交付される。事業計画のアイデア次第で様々な新事業が始められるだろう。経営者にとって大変魅力的ではないだろうか。

「小規模事業者持続化補助金」の補助対象経費項目

　下記のような経費が補助対象となる。

①機械装置等	②広報費	③ウェブサイト関連費
④展示会等出店費用	⑤旅費	⑥開発費
⑦資料購入費	⑧雑役務費	⑨借料
⑩設備処分費	⑪委託外注費	

「小規模事業者持続化補助金」の概要

　小規模事業者が経営計画を自ら策定し、商工会・商工会議所の支援を受けながら取り組む販路開拓等の取組を支援

補助額：上限50 〜 200万円

補助率：2／3（赤字事業者は3／4）

補助対象：チラシ作成、広告掲載、店舗改装など

類型	通常枠	特別枠					インボイス枠
		成長・配分強化枠		新陳代謝枠			
		賃金引上げ枠	卒業枠	後継者支援枠	創業枠		
補助率	2/3	2/3 赤字事業者は3/4	2/3				
補助上限	50万円	200万円					100万円

小規模事業者持続化補助金の申請手順と必要書類

 小規模事業者持続化補助金の申請手順を覚えておこう。

　太字で示した所は、我々事業者が取り組む項目だ。「採択されたら終わり」ではないので、最後まで気を抜かず実施しよう。また、提出書類に関してもチェックしておこう。

「申請」から「事業完了」までの流れ

① **申請手続き（事業者が行います）**

② 申請内容の審査・採択・交付決定

③ **補助事業の実施（事業者が行います）**

④ **実績報告の提出（事業者が行います）**

⑤ 確定検査・補助金額の確定

⑥ **補助金の請求（事業者が行います）**

⑦ 補助金の入金

⑧ **事業効果報告（事業者が行います）**

応募時提出書類一覧

	全申請者が必須の提出資料			
項番	書類名	法人	個人	NPO
1	小規模事業者持続化補助金事業に係る申請書(様式1)[原本] ※電子申請の場合は不要	○	○	○
2	経営計画書兼補助事業計画書①(様式2)[原本]	○	○	○
3	補助事業計画書②(様式3)[原本]	○	○	○
4	事業支援計画書(様式4)[原本]	○	○	○
5	補助金交付申請書(様式5)[原本] ※電子申請の場合は不要	○	○	○
6	宣誓・同意書(様式6)[原本]	○	○	○
7	電子媒体(様式1、様式2、様式3、様式5、様式6、(様式7、様式8、様式9)) ※電子申請の場合は不要	○	○	○
8	貸借対照表および損益計算書(直近1期分)[写し]	○	—	—
9	株主名簿[写し] ※該当者のみ	○		
10	直近の確定申告書【第一表及び第二表及び収支内訳書(1・2面)または所得税青色申告決算書(1~4面)】(税務署受付印のあるもの)または開業届(税務署受付印のあるもの)[写し]	—	○	—
11	貸借対照表および活動計算書(直近1期分)[写し]	—	—	○
12	現在事項全部証明書または履歴事項全部証明書(申請書の提出日から3か月以内の日付のもの)[原本]	—	—	○
13	法人税確定申告書(別表一(受付印のある用紙)および別表四(所得の簡易計算))(直近1期分)[写し]	—	—	○
共同申請の場合	連携する全ての小規模事業者の連名で制定した共同実施に関する規約<共同申請の場合は必須の提出書類>[写し]	○	○	○
	希望する申請者のみ追加で必要となる提出資料			
賃金引上げ枠	賃金引上げ枠の申請に係る誓約書(様式7)[原本]	○	○	○
	労働基準法に基づく賃金台帳[写し]	○	○	○
	<赤字事業者のみ> 直近1期に税務署へ提出した税務署受付印のある、法人税申告書の別表一・別表四[写し]	○	○	○
卒業枠	卒業枠の申請に係る誓約書(様式8)[原本]	○	○	○
	直近1か月間における、労働基準法に基づく労働者名簿(常時使用する従業員分のみ)[写し]	○	○	○
創業枠	「認定市区町村」または「認定市区町村」と連携した「認定連携創業支援等事業者」が実施した「特定創業支援等事業」による支援を受けたことの証明書[写し]	○	○	○
	現在事項全部証明書または履歴事項全部証明書(申請書の提出日から3か月以内の日付のもの)[原本]	○	—	○
	開業届(税務署受付印のあるもの)[写し]	—	○	—
インボイス枠	インボイス枠の申請に係る宣誓・同意書(様式9)[原本]	○	○	○
加点 事業承継	事業承継診断票 [原本]	○	○	○
	代表者の生年月日が確認できる公的書類[写し]	○	○	○
	「後継者候補」の実在確認書類	○	○	○
経営力向上計画	「経営力向上計画」の認定書[写し]	○	○	○
東日本大震災加点	食品衛生法に基づく営業許可証(業種が「水産」「魚」「海藻」のもの)[写し]	○	○	○
災害加点	各市町村が発行する「罹災証明書」もしくは「被災届出証明書」等の被害を証明する公的書類[写し]	○	○	○
事務所賃料関係	補助対象となる事務所賃料の「金額」と事務所の「床面積」が確認できる書類[写し]	○	○	○
	(補助対象とならない部分が総床面積に含まれている場合)補助対象となる部分を説明した文書(任意様式)[原本]	○	○	○

出典：全国商工会連合会 小規模事業者持続化補助金〈一般型〉 ガイドブック

小規模事業者持続化補助金に大切な「事業計画」とは?

> 書類の中で一番大切なものは何?

> それは事業計画なんだ!その「事業計画」について知っておこう!

小規模事業者持続化補助金の事業計画

前ページの「応募時提出書類一覧」の中の「2.経営計画書兼補助事業計画書①(様式2)」、「3.補助事業計画書②(様式3)」は、もっとも重要な書類で総称して「事業計画」と呼ばれている。

経営計画では、企業概要、顧客ニーズと市場の動向、自社の強み、今後のプランなど主に自社について分析していく。

補助事業計画では、補助事業でおこなう事業名、販路開拓等(生産性向上)の取組内容、業務効率化(生産性向上)の取組内容、補助事業の効果の記述が求められる。

経営計画(自社の分析と新事業の背景)

1.企業概要

会社の経営状況、売上の状況、顧客の状況、製品やサービスの提供内容などを具体的に書こう。

2.顧客ニーズと市場の動向

　お客様の立場に立って自社の商品サービスを客観的に記述する。競合他社の存在や将来は成長を見込むのか、衰退を見込むのかなどの視点も必要となる。

3.自社や自社の提供するサービスの強み

　自社の商品やサービスが他社に比べて優れていると思われる点や、顧客に評価されている点をよく考えて書こう。

4.経営方針・目標と今後のプラン

　1〜3を踏まえて、将来に向けての経営方針やプランを書く。時期や行動など、可能な限り具体的に書いていこう。

補助事業計画（補助金で行う事業の詳細）

1.補助事業でおこなう事業名

　補助金で行おうとする事業を30文字で表現。事業を30文字で表現することはハードルが高いが、事業の方針を定めるために重要な取り組みでもある。時間がかかっても納得いくまで考えてみよう。

2.販路開拓等（生産性向上）の取組内容

　「生産性向上」とは、「売上の増加または原価の減少」と読み替えてもいい。事業計画が求められる。

3.補助事業の効果

　「効果」とは、「売上の増加または原価の減少によってもたらされる利益」と読み替えてもいいだろう。補助金を使って、あなたの事業がどれだけ収益を上げることができるのかを具体的に示そう。

事業計画作成のポイント①
「経営計画」の取り組みはSWOT分析を使え

前半の「経営計画」への取り組みはどのようにすればいいの？

事前にSWOT分析へ取り組むとスラスラ書けるよ！

SWOT分析とは？

SWOT（スウォット）分析とは、「強み（Strength）」、「弱み（Weakness）」、「機会（Opportunity）」、「脅威（Threat）」の頭文字SWOTから名付けられた、事業分析のツールだ。

SWOT分析では、自社の事業の状況を、内部環境（自社がもつ資産やブランド力、品質など）のプラス要因の「強み」とマイナス要因の「弱み」と、外部環境（自社を取り巻く、市場や競合、法律など）のプラス要因の「機会」とマイナス要因の「脅威」に分けて整理する。

	プラス要因	マイナス要因
内部環境	強み (Strength) 自社の持つ強みや長所、 得意なことなど	弱み (Weakness) 自社の持つ弱みや短所、 苦手なことなど
外部環境	機会 (Opportunity) 社会や市場の変化などで プラスに働くこと	脅威 (Threat) 社会や市場の変化などで マイナスに働くこと

さらに「クロスSWOT分析」で「経営計画」の方向性を見極めよう!

　クロスSWOT分析とは、「強み」「弱み」「機会」「脅威」を掛け合わせることで、今後の経営戦略の方向性を見極めるためのフレームワークだ。その中でも「強み×機会」がもっとも重要だ。中小企業は、自社の強みを成長に見込めるマーケットに集中させることが事業計画の基本となる。

①強み×機会（積極化戦略）

　「強み×機会」に注目して、「有望なビジネスチャンスに対して良いところを沽かしていく戦略」を考えることが一番大切だ。

②強み×脅威（差別化戦略）

　競合や市場縮小などの「脅威」に対して、自社の「強み」を使って、どうやって切り抜けていくかを考える戦略。差別化戦略が中心となる。

③弱み×機会（改善戦略）

　弱み・ウイークポイントを克服するには時間がかかることが多く、即効性は低いため、弱み×機会は長期的に取り組む課題とする。短期的には強み×機会を優先する。

④弱み×脅威（防衛・撤退）

　「脅威」の影響を最小限にとどめるための防衛的な戦略となる。最終的には、事業の撤退も視野に入れる必要がある。

事業計画作成のポイント②
「補助事業で行う事業名」の3原則

 事業計画名の30文字はちょっと短すぎるんじゃないですか?

 30文字に凝縮することは、計画している事業の中心を
射抜く必要があり、大変重要な取り組みなんだ!

▶ **事業計画を30文字で表現する事に挑戦する**

　ここからは、補助事業計画に入る。補助事業計画の最初のハードルは、事業計画名の取り組みだ。計画している事業が多岐にわたる場合など「30文字で表現」するのは至難の業。補助事業計画の最初のハードルと言える。しかし、「事業計画名の決定」は重要なプロセスとなる。下記の「事業計画名（30文字）の取り組みの３原則」を参考にチャレンジしてほしい。

補助事業計画名（30 文字）の取り組みの 3 原則

・補助事業の全体像が理解できるわかりやすい表現を
心がけよう。

・ここまでの自社の分析を踏まえ、強み × 機会の方向
性を示そう。

・生産性向上をもたらす事業の中心的な事柄が誰でも
わかるものであることが大切。

「販路開拓の取組内容」の書き方とは？

「販路開拓等の取組内容」の考え方は？

日本の企業は、対面販売や訪問販売での販路開拓は得意だが、新型コロナウイルス感染症の影響で、こうしたリアル以外の販路開拓のアイデアが必要になっているんだ。

▶ 動画やSNSなどのデジタルツールで 新たな販路開拓のアイデアを生み出そう

　日本の一般的な中小企業は、対面販売や訪問販売による販路開拓が一般的だったが、新型コロナウイルス感染症で外出自粛が求められる中、動画やSNSなどネットを使った販路開拓の重要性が増加している。下記のポイントを参考にして、独自のネットによる販路開拓手法を確立しよう。

「販路開拓等の取組内容」のポイント

事業の取り組み内容	商品やサービスの内容、広告宣伝、展示会への出店、SNSの配信、ホームページ、ECサイトなど総合戦略の計画
新商品・サービスの具体的内容	審査員目線で本当に実現できるのか、具体的な項目を示して記述する
創意工夫した点	新商品を開発するにあたり、どのように工夫したのかを書く。加点項目なので、必ず取り組む
誰に販売するか	年齢、趣味、性別などターゲットを明確にする事で、販売計画の実現性を記述する
販売の計画	どのような販売ルートで、どんな商品を、いつまでに、いくつ販売するのか？ 5W1Hを意識して記述する

事業計画作成のポイント④
「補助事業の効果」の書き方とは？

 「補助事業の効果」という欄には何を書けばいいのかしら？

 「生産性が向上する」＝「売上の増加か経費の減少」が達成できることを示す売上予測と収益予測を書こう！

▶ 自社と顧客と業界・地域にどんな「効果」があるのかを書く

　私たちの事業は、自社の利益のためだけにとどまらず、その商品やサービスを使うお客様の豊かさに繋がることでもあり、業界や地域の発展にも貢献している。日頃は意識しないそのような多方面への影響を想像しながら書くのが、「補助事業の効果」だ。自社の存在意義を改めて認識して、補助事業の魅力をアピールしよう。

補助事業の効果

補助事業の効果

自社の効果	顧客の効果	地域・業界の効果
売上高、利益、客数、客単価などが向上すること	製品やサービスの提供でお客様の利益になること	地域の魅力が増すことや業界の発展に貢献すること

審査における「加点」はしっかり狙う

「加点」って何のこと？

審査得点を高くすることができる制度なんだ。

▶ 取れる加点は取っておくのが基本

　補助金の審査は、事業計画書に基づき行われるが、要件を満たすと加点を受けることができ、審査得点を高くすることができる。

　審査は、事業計画がメインで、加点の比率はさほど高くないだろう。しかし、多くの良く練られた応募書類では、ほとんど甲乙つけがたいはず。わずかでも加点措置があれば、それが採否を決定することは十分ありえる。加点を把握して、受けられる加点はしっかり狙って行こう。

採択審査時行われる政策加点

1．パワーアップ型加点	地域資源型：地域資源等を活用する事業計画 地域コミュニティ型：地域の課題を解決する事業計画
2．経営力向上計画加点	経営力向上計画の認定を受けている企業に対する加点制度
3．事業承継加点	代表者の年齢が満 60 歳以上の事業者で、かつ、後継者候補の者が補助事業を中心になって行う場合
4．東日本大震災加点	福島第一原子力発電所による被害を受けた水産加工業者等に対しての政策加点
5．災害加点	令和 4 年 3 月 16 日に発生した福島県沖を震源とする地震により被災した事業者への加点
6．事業環境変化加点	ウクライナ情勢や原油価格、LP ガス価格等の高騰による影響を受けている事業者への加点

HAIR SALON Seis
（ ヘアサロンセイス ）

> 美容室はいろんな事業テーマがありそう……

> 今回はヘッドスパ事業を始めるサロンさんの事例だ！

1.自社の概要

　現在、美容師である従業員は4人です。当サロンには、オーナーの勤務時代からの固定客が多く、ヘアスタイルやファッションに敏感な20-40代の男女が主な客層です。

店内風景

2.SWOT分析

強み（S）	弱み（W）
「スニップスタイル」「いざなぎ」「新美容」などの美容業界紙に年間6回、15作品が掲載されるなど全国的に技術力が高い。	店の構造がオープンスペースのため、お客様の安心感と安全性を高める施行を伴う対策が必要となっている。
機会（O）	脅威（T）
新型コロナウイルス感染症をきっかけにリモートワークが増えたことから、目や首の疲れを訴える人が急増している。	美容室の店舗数、美容師数が過去最多を記録し、この地域でも増加傾向にあり、価格競争が激化する兆候がある。

リモートワークの疲れを癒す
個室ヘッドスパ事業の立ち上げ

経費名	経費区分	金額（税込）
店舗内装改装工事	①機械装置等	¥1,150,000
エアコンダクト設置	①機械装置等	¥100,000
ホームページ改修	②広報費	¥100,000

※令和2年度第3次補正予算小規模事業者持続化補助金〈低感染リスク型ビジネス枠〉第4回

オーナーの感想

株式会社 balance. 代表取締役
加藤俊行 氏
Toshiyuki Kato

お客様の満足度が上がりお客様からの評判もとても良いです。

　シャンプースペースを改装し、心身ともに疲れを癒し顧客満足度の向上が図れるヘッドスパ体験ができるヘッドスパルームの導入により、お客様の満足度が上がり評判がとても良いです。

　お客様から新しい内装に対して質問があり、ヘッドスパメニューの説明をするところから予約に繋がることが多いです。新しい設備が整ったことでスタッフもやる気になり、毎朝練習をするようになりました。

　SNSでのPR効果は、当初の予想を上回る反響がありました。

小規模事業者持続化補助金採択事例②
プラチナ・ウーマン

 しまおさんは、女性の起業やスタートアップ期の
マーケティング指導をされているコンサルタントだ。

 私も相談に乗って欲しいな！

Ⅰ.自社の概要

　開業予定の方や、開業間もない個人事業主に対して、経営初心者特有の悩みに応えるWebマーケティングのコンサルティングを行なっています。また、企業のメルマガ配信代行、LP制作なども請け負っています。

2.SWOT分析

強み（S）	弱み（W）
セールスライターとして、様々な商品やサービスのメルマガやブログによる売上アップの実績を数多く持っている。	起業独立志望の女性に向けてホテルで行なっていた集客セミナーが、コロナウイルス感染症の影響で開催できなくなった。
機会（O）	脅威（T）
テレワークやSNSの普及で女性の起業がしやすくなり、パートタイム起業家、フリーランス起業家が多数生まれている。	新型コロナウイルス感染症による外出自粛、起業コンサルタントや、起業塾の競争激化。

オンライン女性起業塾の経営で女性の社会進出を後押し！

経費名	経費区分	金額（税込）
E ラーニングツール	①機械装置等	¥110,000
YouTube 動画広告	②広報費	¥770,000
ホームページ作成	②広報費	¥220,000

※令和2年度第3次補正予算小規模事業者持続化補助金〈低感染リスク型ビジネス枠〉第4回

オーナーの感想

プラチナ・ウーマン 代表
しまお かおり 氏
Kaori Shimao

補助金申請をきっかけにお客様の補助金申請をサポートする「補助金ライター」の道が開きました。

　ホテルで行なっていた「朝活Webライティング＆マーケティング勉強会」がコロナウイルス感染症の影響で行えなくなり、新規の顧客獲得ができなくなり途方に暮れていました。ウェブはこれまであまり得意ではありませんでしたが、専門家の助けを借りて、「朝活Webライティング＆マーケティング勉強会」のウェブコンテンツを作ることができ、YouTubeでの集客が効果を発揮するようになってきました。補助金に採択されて本当に良かったと思います。

ブティックWANI WANI

こんなブティックが近くにあったら私も行きたい！

大人気のブティックが補助金で地域コミュニティ作りにチャレンジ！

1.自社の概要

「地域の女性をおしゃれに！元気に！」をコンセプトに、誰でも気軽に入れるお店を心がけています。フリーマーケット感覚の低価格で気軽に買えるファッションアイテムをとり揃えることで、地域の女性の「ファッションスポット」「溜まり場」「憩いの場」を目指しています。

店内風景

2.SWOT分析

強み（S）	弱み（W）
・低価格の仕入れ ・豊富なアイテム数 ・地域密着 ・幅広い年齢層の女性客	・コロナウイルス予防に関する対応によるコスト増 ・コロナウイルス罹患のリスク
機会（O）	脅威（T）
・公共交通アクセス良好 ・周辺の優良な店舗の存在 ・近くに大型ショッピングセンターが出店した	・コロナウイルスによる外出禁止で起こる売上減少 ・海外原材料の入荷ストップによる仕入先への影響

2階の倉庫スペースを改装し、レンタルスペースをオープンする事業

経費名	経費区分	金額（税込）
ホームページ改作費	広報費	¥158,500
店舗2階改修費	外注費	¥455,000
オリジナルマット作成	外注費	¥48,000
パンフレット作成1000枚	外注費	¥50,000

※令和元年度補正予算　小規模事業者持続化補助金事業〈一般型〉

オーナーの感想

WANI WANI 代表
丹羽加容子氏

補助金のおかげで、事業計画どおり地域の女性の「ファッションスポット」「溜まり場」「憩いの場」になりました。

　補助金で2階の倉庫を改装し、レンタルスペースをオープンしました。

　そのことで、ネイルの講習会など様々な人たちがブティックを利用していただけるようになりました。

　レンタルスペースのおかげで副収入もでき、本業のブティックの売上も大幅に増加しました。

　今後は、予約のない時間帯を利用した展示会やネイル教室で顧客サービスを更に充実させていきたいと思っています。

Chapter **2**
Summary

Ⅰ 個人事業主、小規模事業者は、「小規模事
業者持続化補助金」が最適

Ⅱ まずは申請手順と必要書類を理解して申請
準備開始！

Ⅲ 小規模事業者持続化補助金の事業計画を書
くコツを理解しよう

Ⅳ SWOT分析を理解することが事業計画の近
道であることを理解しよう

Ⅴ 補助金の事業計画の各項目についてポイン
トを理解して、採択される事業計画を目指
そう

これだけは知っておこう！
補助金に関係する
クラウドサービスと認定制度

持続化補助金の申請方法は
理解できました。
ほかに知っておくと
いいことはありますか？

知っておくと便利な
クラウドサービスと
認定制度について
お伝えしましょう。

補助金申請の「共通認証システム」
GビズIDプライム
（ ジービズアイディー プライム ）

▶ 補助金の申請に必須のアイテム

　法人（個人事業主も含む）のための「共通
認証システム」です。利用できる行政サービ
スは、年々広がっています。

https://gbiz-id.go.jp/top/

GビズIDのメリット

①いつでも・どこでも手続きができる

②時間やコストが削減できる

③情報入力の手間が削減できる

④書類にハンコが不要になる

GビズIDで利用できる主な行政サービス

・jGrants（経済産業省・補助金申請システム）

・IT導入補助金（経済産業省・中小企業庁・中小機構）

・事業継続力強化計画電子申請システム（中小企業庁）

・社会保険手続きの電子申請（日本年金機構）

・保安ネット（経済産業省）

・DX推進ポータル（経済産業省　独立行政法人情報処理推進機構）

・経営力向上計画申請プラットフォーム（経済産業省　ほか）

・食品衛生申請等システム（厚生労働省）

・e-Gov（総務省）

補助金電子申請システム
jGrants
（ ジェーグランツ ）

▶ **24時間、補助金申請に対応**

　書類記入や郵送手続きなどで煩雑だった補助金申請業務を簡素化するため、経済産業省がリリースした電子申請システムのことです。

https://www.jgrants-portal.go.jp/

jGrantsのメリット

①24時間申請作業ができる

②申請できる補助金が一覧になっているので補助金を探しやすい

③申請状況や審査状況がリアルタイムでわかる

④スマートフォンでの認証のため、書類にハンコが不要になる

jGrantsで申請できる主な行政サービス

・小規模事業者持続化補助金＜低感染リスク型ビジネス枠＞

・ものづくり・商業・サービス生産性向上促進補助金

・事業承継・引継ぎ等補助金

・IT導入補助金

・事業再構築補助金

※jGrantsで取り扱っている補助金の総数は、2022年9月時点で約800以上にも上ります。利用したい補助金が現在募集中かどうか確認するためにはjGrants公式サイトの「補助金を探す」から補助金を検索し、一覧から募集期間を確認する必要があります。

情報セキュリティ対策に取組む宣言
セキュリティ対策自己宣言

▶ IT導入補助金の必須項目

　補助金の交付申請をしようとする事業者は、事前に取り組みを行うことが必須要件となっています。

https://www.ipa.go.jp/security/
security-action/index.html

セキュリティ対策自己宣言のメリット

①IT導入補助金の申請ができる

②情報セキュリティへの取り組みを「見える化」できる

③従業員のセキュリティ意識の向上に役立つ

④「SECURITY ACTION」（セキュリティアクション）のロゴが使用できる

セキュリティ対策自己宣言を申請要件としている補助金一覧

全国

・IT導入補助金

・ものづくり補助金（デジタル枠）

・事業承継・引継ぎ補助金（経営革新）

都道府県

・秋田県デジタル化トライアル事業費補助金

・岐阜県令和4年度中小企業等スマートワーク促進補助金

・堺市中小企業デジタル化促進補助金

補助金電子申請システム
ミラサポplus
（ミラサポプラス）

▶ 事業再構築補助金申請に必須

中小企業・小規模事業者向けの補助金・給付金等の申請や事業のサポートを目的とした、国のWebサイトです。

https://mirasapo-plus.go.jp/

ミラサポplusのメリット

①ローカルベンチマークの利用
②補助金・税・認定に関する支援制度の検索
③中小企業向けの支援者・支援機関の検索
④中小企業の経営事例の検索

電子申請サポート

ここでは、各種電子申請で繰り返し入力が必要になる基本情報や財務情報等を管理できる。e-taxや過去に電子申請したシステムからデータを取得することも可能。

経営革新を都道府県が認定する制度
経営革新計画

▶ ものづくり補助金の加点項目

経営革新計画は、「新事業」の実施を通じて経営の向上に努力する中小企業を応援する国の施策。認定により企業にメリットがある。

https://www.ipa.go.jp/security/
security-action/index.html

経営革新計画のメリット

本社所在地の都道府県に申請し、認証を受けるシステムとなっている。自社の経営を見つめなおす機会となるとともに、経営革新計画は経営の道しるべとなることが最大のメリットだ。また、ものづくり補助金の加点要素となるほか、低利融資、信用保証枠拡大、海外展開への資金調達支援など様々な優遇制度がある。

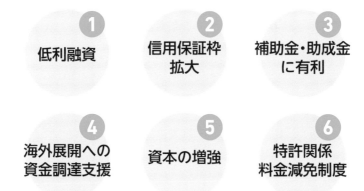

1 低利融資
2 信用保証枠拡大
3 補助金・助成金に有利
4 海外展開への資金調達支援
5 資本の増強
6 特許関係料金減免制度

自然災害の事前準備
事業継続力強化計画

▶ ものづくり補助金の加点項目

中小企業・小規模事業者の方々が、防災・減災にむけて取り組む計画を、経済産業省が認定する。災害時の対策を事前に計画する。

https://mirasapo-plus.go.jp/

事業継続力強化計画のメリット

中小企業が自然災害等により事業活動を行うインフラ環境や機械設備等が損傷することになっても、早期に回復ができるように対策をまとめた計画書やマニュアルを経済産業大臣に申請し、認定されることで、ものづくり補助金の加点項目になるほか、税制優遇や金融支援などの支援を受けることが可能になる。

補助金の優先採択
（ものづくり補助金等）

信用保証協会による
保証枠の拡大

防災・減災設備の
税制優遇

日本政策金融公庫
による低利融資
（設備投資資金）

Chapter **3**
Summary

I Gビズ ID プライムは、印鑑証明書の代わりの本人確認ツール

II jGrants は，補助金・助成金のデジタル申請ツール

III セキュリティ対策自己宣言は、IT 補助金などで必須の宣言

IV ミラサポ plus の事業財務情報入力は、事業再構築補助金で必須

V 経営革新計画・事業継続力強化計画は、ものづくり補助金の加点項目

補助金申請のための
事業計画書づくり
３段階18のステップ

補助金の事業計画って
どうやって書くんですか？

日本一わかりやすい
事業計画の書き方を
レクチャーします。

一般的な事業計画書と大きく異なる
補助金申請用の事業計画書

 「補助事業計画書」と一般的な「事業計画書」は違うの?

 大きく違うので私は補助金用の事業計画書を
「補助事業計画書」と言っているんだ。

▶ 補助金申請の大きなハードルは「事業計画書」

　「小規模事業者持続化補助金」、「ものづくり補助金」、「事業再構築補助金」など多くの補助金で事業計画書は必須の提出書類となっている。

　この事業計画書の作成には多くの時間を費やす必要があり、補助金申請の大きなハードルとなっている。

▶ 補助金申請のための事業計画書を「補助事業計画書」と呼ぶ

　経営者や税理士さんが、よく書く事業計画書と補助金申請のための事業計画書は大きく違うので、本書では補助金申請のための事業計画書を「補助事業計画書」、補助金の交付を受けて行う事業を「補助事業」と呼ぶ。

「補助事業」と「補助事業計画書」

補助金の交付を受けて行う事業	＝	補助事業
補助金の申請のために書く事業計画書	＝	補助事業計画書

「補助事業計画書」とは、補助金の交付によって行われる事業が、経営にどのような影響を与えるのかを説明する補助金申請のための事業計画書。

項目	一般的な事業計画書	補助事業計画書
対象	主に社員、株主、出資者、取引先、など事業を進めていく関係者	主に補助金の審査をする審査員
目的	事業遂行をスムーズにするための相互理解、事業目的の達成	補助金の採択
評価基準	計画の実現性、計画実施後の周囲の評価や会社の業績の変化	採択の合否判定
重要課題	事業を行う上で必要十分な計画書かどうか	補助金の交付の条件に対して必要十分な計画書かどうか
損益計画の着目点	会社全体の損益に事業がどのような影響を与えるか予見する	補助金を使った事業が、会社にどれだけの好影響を与えるか
損益計画のポイント	損益がわかりやすいように事業を分類し指標化する	補助事業(補助金を使う事業)とそれ以外の事業を明確に分ける
期限や内容などの条件	主体となる会社やメンバーで決めることができる	事務局が「募集要項」という形で細かく規定している

補助事業計画書の作成方針	補助事業計画書は、一般的な事業計画書と上記のような大きな違いがある。そこで、補助金の採択を目指すためには、その違いをよく理解し、補助金申請に最適なわかりやすい計画書を作成する必要がある。

補助事業計画書に共通する
3つのハードル

補助金はそれぞれフォーマットが違うと聞いたけど。

フォーマットは違っても、共通点に着目すれば大丈夫なんだ！

▶ 補助金の事業計画書には多くの「共通点」がある！

　補助金は、それぞれ要求される記載内容が違うが、「中小企業の生産性向上の支援」という目標は同じであることが多く共通点も多い。

　右図のように、「計画書づくりに共通する3つのハードル」をクリアし、基礎資料を作っておけば、どんな補助金でも微調整するだけで対応できる。

▶「共通点」をクリアすれば誰でも
　質の高い事業計画書が作れる！

　補助金の申請前にこの章に取り組めば、補助金の要求事項はほとんど網羅されているため補助金の種類が違っても事業計画書はスイスイ書ける。

▶ 第4章は自力で3つのハードルを
　越えるように設計されている！

　第4章では、3つのハードルに対してそれをクリアしていくステップが設定されている。それぞれのステップには、解説とサンプル（S美容院）が用意されている。そのサンプルに従い、本書の空欄をメモ書きで埋めていくと自然に3つのハードルが越えられるように設計している。

　本書の付録であるフォーマットをダウンロードし、パソコンで取り組むとさらに効率がアップするだろう。このフォーマットはそのまま、補助金の申請書にもコピーペーストできるよう工夫されている。

第4章は経営者の皆さんが、コンサルタントに頼らず自力でこの3つのハードルを越えるように設計されている

採択

第3のハードル

会社全体への効果を数値化する

提出が必要な資料・計画

⑫基準年の損益計算書
⑬売上計画
⑭人件費計画
⑮減価償却・経費計画
⑯損益と付加価値
⑰重要指標一覧表

必要な取り組み内容

自社の取組む新事業が採算性が高いことを審査員に対し数字で証明するために、損益計画書と重要指標一覧表を作成する

第2のハードル

具体的な事業の内容を明確にする

提出が必要な資料　計画

⑦商品設計
⑧ターゲット市場の設定
⑨販売促進計画
⑩実施体制・スケジュール
⑪補助事業経費の決定

必要な取り組み内容

自社の取組む新事業をその商品から販売まで行動計画に落とし込み、事業内容を明確に審査員に説明する

第1のハードル

事業のアウトラインを明確にする

提出が必要な資料・計画

①企業概要
②自社の強み
③身近な成長分野
④新事業のコンセプト
⑤補助事業名
⑥事業概要

必要な取り組み内容

自社と自社の環境を分析し取組むべき事業を決めて端的に表現することで、補助事業のアウトラインを作る

パソコンで取り組めるオリジナルフォーマットをダウンロードすればさらに効率アップ！

はじめての人でも「補助事業計画書」が書ける3段階18のステップ

> コンサルタントにお願いしないと作れないと聞くけど……

> コンサルタントに頼らなくても十分自分で作れるよ!

▶ コンサルタントに頼らず自分で作ってみよう!

　補助事業計画書は、本来、忙しい経営者が書くのが一般的で、専門知識を必要としないように設計されている。その補助金のホームページなどに採択事例として掲載されている計画書を読んで真似すれば、できる範囲のものである。

　初めからコンサルタントに頼ると、どんな申請だったかをよく理解していないのに採択されたという本末転倒の事態になりかねない。

　ここから、その書き方を紹介するのでご自身で補助事業計画書の作成にチャレンジしてほしい。

▶ どんな補助金の事業計画にも対応できる事業計画書のエッセンスを抽出

　事業計画書は補助金ごとで要求する内容が異なりその都度募集要項に従う必要があるが、中小企業の生産性向上という目的は共通しているので、事業計画書の構成は概ね同じである。

　そこで、どんな補助金申請にも対応できる事業計画書のワークシートを考案し、3段階18のステップに分けてみた。それぞれの補助金に合わせた事業計画書を書く前にこのシートに取り組むことで、自社の将来の姿をしっかりとイメージでき、審査員に説得力のある事業計画書を書くことができるようになるはずだ。

「補助事業計画書」作成のための3段階18ステップ

第1段階

自社と自社の環境を分析し取組むべき新事業を探し、補助金で取組む新事業を決定し、補助事業のアウトラインを作る

- ステップ① 企業概要を書いてみる
- ステップ② 自社の強みを再発見する
- ステップ③ 身近な成長分野を探す
- ステップ④ 新たに開始するビジネスプランをつくる
- ステップ⑤ ビジネスプランに名前をつける
- ステップ⑥ 事業概要を100文字で表現する

第2段階

自社の取組む新事業をその商品から販売まで行動計画に落とし込み、事業内容を明確に審査員に説明する

- ステップ⑦ 商品・サービスを設計する
- ステップ⑧ ターゲット市場を設定する
- ステップ⑨ 販売促進計画を作成する
- ステップ⑩ 実施体制・スケジュールを作成する
- ステップ⑪ 申請したい補助事業経費を決める

第3階

自社の取組む新事業が採算性が高いことを審査員に対し数字で証明するために、損益計画書と重要指標一覧表を作成する

- ステップ⑫ 直前期・今期の損益計算書をつくる
- ステップ⑬ 売上・仕入・粗利計画をつくる
- ステップ⑭ 人件費計画をつくる
- ステップ⑮ 補助経費計画をつくる
- ステップ⑯ 利益計画や付加価値計画をつくる
- ステップ⑰ 3年間の数値計画を完成させる
- ステップ⑱ 重要指標を計算する

※下記のアドレスからワークシートがダウンロードできます。
https://www.eastpress.co.jp/9784781621593/dl.html

人は形にして見せてもらうまで、
自分は何が欲しいのかわからないものだ*。
スティーブ・ジョブズ

　ここから始まる18ステップは、まだ見ぬターゲットに対して新たな商品・サービスを具体的に販売していくための補助事業計画を作成する取り組みだ。

　ここで作成した補助事業計画は、生産性向上を目的とした多くの補助金に応用可能となる。

　このステップに取り組むことで、あなたは「自社の強み」を発見し、その強みを最大限に活かした商品・サービスを生み出すことになる。そして、無限に広がるマーケットの中から、最適なマーケットを抽出し、自社の商品・サービスを求める顧客に販売するための事業計画を手に入れることになるだろう。その事業計画は、補助金の審査基準をクリアし、「採択」という結果をもたらす。そして実際に取り組む事業によって、あなたの会社は売上アップという形で生産性を大きく向上させることになる。

　私はそんな将来を思い描いて、このシートを作ってみた。

　まずは、難しいところは飛ばしていただき、全体の流れを感じて欲しい。

　きっと、新しい発見があるはずだ！

　*桑原晃弥. スティーブ・ジョブズ全発言 世界を動かした142の言葉 (Japanese Edition)
　　(p.11). PHP研究所. Kindle版.

事業のアウトラインを明確にする

事業のアウトラインを明確にする

第1段階		
自社と自社の環境を分析し取組むべき新事業を探し、補助金で取組む新事業を決定し、補助事業のアウトラインを作る	ステップ①	企業概要を書いてみる
	ステップ②	自社の強みを再発見する
	ステップ③	身近な成長分野を探す
	ステップ④	新たに開始するビジネスプランをつくる
	ステップ⑤	ビジネスプランに名前をつける
	ステップ⑥	事業概要を100文字で表現する

※下記のアドレスからワークシートがダウンロードできます。
https://www.eastpress.co.jp/9784781621593/dl.html

企業概要を書いてみる

 いよいよ事業計画にチャレンジ！どこから手を付けたらいい？

「はじめまして」と自己紹介する気持ちで企業概要に取り組もう。

▶「企業概要」は事業計画書では必ず取り組む内容

　補助金の全ての審査員があなたの会社や事業について何も知らない。そこで事業計画で必ず最初に記載されるのが企業概要だ。

　あくまでイントロダクションなので、あまり紙面を割きすぎないように気をつけよう。A4用紙10〜15枚の事業計画書であれば、半ページから1ページくらいがほど良いバランスとなる。注意すべきポイントは「企業概要の3つのポイント」に挙げたので参考にしてほしい。

　ここでは、次ページの企業概要の記述項目とポイントをよく読んで、【ワーク1】に取り組んでほしい。

企業概要の３つのポイント

①会社の全体像がわかるように客観的なデータを
　中心に書く

②新しい事業（補助事業）に必要な情報は網羅する

③バランスを考えて紙面を割きすぎないように端
　的に書く

Nice to meet you

企業概要の必須項目

1. **基本情報**：業種、業態、営業時間、社員数、店舗数、立地などを記述
2. **概要・沿革**：設立年、理念、代表の経歴、会社の沿革や受賞歴などを記述
3. **商品構成・利益構成**：売上や利益を構成する商品・サービスを売上や利益の高い順から記述し、直近数年の推移などを記述

企業概要の項目と内容

【ワークシート1サンプル】S美容室の例

	項目	企業概要
1	基本情報	会社（店舗）名、代表者名、店舗所在地、最寄駅、加盟チェーンなど
2	概要・沿革	オーナーは名古屋大手の美容院で12年の美容師としての活動を行ったのち、共同経営で6年間美容院の経営を経験し、●●年●月に●●町で「美容室S」を開業しました。
3	商品構成 利益構成	【美容】カット、カラー、トリートメント 【ネイル】ネイル 【化粧品】オリジナルの化粧品を開発し、販売 【店販】アパレル商品の販売、アクセサリーの販売

【ワークシート1】記入欄に企業概要を箇条書きしてみよう

	項目	企業概要
1	基本情報	
2	概要・沿革	
3	商品構成 利益構成	

※実際の記入は写真やグラフなども含めて0.5〜1ページにまとめる

STEP❷
自社の強みを再発見する

「うちの会社は強みがない」という経営者は多い気がする……。

「それぞれの会社には必ず強みがある」と確信しているんだ！

▶「自社の強みの再発見」の喜びや驚きが補助金申請のモチベーションに

「自社の強みの再発見」こそ事業計画書の中核になるものだ。いままで見えなかった「自社の強み」を再発見できた喜びや驚きが、補助金申請のモチベーションにもなる。私の経験では、今まで見えなかった自社の強みの再発見の驚きや喜びは、体験したものでなければ感じられないインパクトを経営者にもたらす。今まで例外は一社もない。

今まで見えなかった自社の強みを再発見する 5 つの視点

▼会社の歴史・立地・設備など外形的強み
　会社の歴史、立地条件、持っている設備など、もう一度丹念に見直すと「強み」が発見できることが多い

▼社員の優秀さや技術力の高さなど人的強み
　一見、地味な存在の社員があなたの会社を変えるかもしれないという視点をもって「強み」を探そう

▼商品・設備・販売網・特許など社内の強み
　社内では常識であり当たり前になっているが視点を変えることで新たな「強み」となる可能性もある

▼受賞歴・お客様の声など社外の評価の強み
　過去の受賞歴や SNS への書き込みなどから思いもかけない「強み」が発見できる場合がある

▼業界や地域の奉仕活動、SDGs などの取組み
　目立たないが地道な活動が見逃していたビジネスチャンスに繋がっていることも少なくない

自社の強みの再発見ができた経営者は前向きになり、事業へのビジョンとやる気が湧いてくるのだ。

　私はこの瞬間のために補助金コンサルティングの仕事をしていると言ってもいいくらい、この瞬間が大好きだ。あなたも、5つの視点を参考に自社の強みの再発見に今すぐチャレンジしてほしい。

自社の強みを再発見する

【例】S美容室

	5つの視点	自社や代表者の強み
1	会社の設備や代表者の経歴など外形的強み	オーナーは23年の経験豊富な美容師、立地はオフィス街で地下鉄駅の近くサラリーマンが多い。
2	代表者や社員の優秀さなど人的強み	接遇や技術に関する継続的な研修を行なっているため、スタッフの技術が高い。
3	商品・設備・販売網・特許など社内の強み	脱色をしてから染めるので明るいヘアカラーを実現。髪や頭皮へのダメージが通常の1/3の薬剤使用。
4	受賞歴・お客様の声など社外の評価の強み	「スニップスタイル」「いざなぎ」「新美容」などの有名な美容業界紙に年間6回、15作品が掲載される。
5	業界や地域の奉仕活動、SDGsなどの取組み	特殊な薬剤により、髪や頭皮へのダメージが1/3程度に軽減できる人体や環境に優しい施術を目指す。

【ワークシート2】再発見した自社の強みを書き出そう

	5つの視点	自社や代表者の強み
1	会社の設備や代表者の経歴など外形的強み	
2	代表者や社員の優秀さなど人的強み	
3	商品・設備・販売網・特許など社内の強み	
4	受賞歴・お客様の声など社外の評価の強み	
5	業界や地域の奉仕活動、SDGsなどの取組み	

身近な成長分野を探す

「成長分野」とはどうやって見つけるの？

「プロダクトライフサイクル（製品寿命）」に着目してみよう。

▶「プロダクトライフサイクル（製品寿命）」とは？

　あらゆる製品・サービスには、ライフサイクル（寿命）があるという考え方だ。成長期にある製品・サービスは投資を行うほど売上が上がり、そこから得られる利益も他の時期より大きいことが知られている。

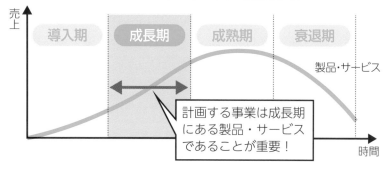

プロダクトライフサイクル（製品寿命）

計画する事業は成長期
にある製品・サービス
であることが重要！

▶ 成長期の商品・サービスを選んで事業を行う

　１〜２年の時間で確実に売上をあげて利益を確保する事業計画を作成するためには、その事業で生み出す製品やサービスが成長期である必要がある。右の「身近な成長分野の探し方」を参考にしてみよう。

▶ 身近な成長分野の探し方

　この取り組みは、SWOT分析の「機会（Opportunity）」の取り組みと表現した方が、わかりやすいかもしれない。下記に5つの視点を用意したので、全て取り組めなくても思いついたものがあれば記入してみよう。

5つのチャンネルから身近な成長分野を探す

【例】S美容室

	5つのチャンネル	身近な成長分野
1	インターネットの統計資料から探す	サブスク型の美容院が話題となっている。都内にはサブスク型の美容院が増えてきている。
2	業界誌や専門誌の記事から探す	業界紙 BOB では SNS の話題が増えている。参考記事：「美容師 YouTube への道」
3	勉強会などに参加してトレンド情報を得る	ホットペッパービューティによると美容院の1回あたりの女性の利用料金が前年比6％伸びている。
4	業界の専門家の知り合いに聞く	都心で流行しているドライヘッドスパの需要が全国的になっていると友人から聞いた。
5	趣味やサークルの活動で情報を得る	サッカーサークルでメンバー同士でヘッドスパが話題となった。

【ワークシート3】探し出した身近な成長分野を書き出そう

	5つのチャンネル	身近な成長分野
1	インターネットの統計資料から探す	
2	業界誌や専門誌の記事から探す	
3	勉強会などに参加してトレンド情報を得る	
4	業界の専門家の知り合いに聞く	
5	趣味やサークルの活動で情報を得る	

新たに開始するビジネスプランをつくる

これまでの取り組みで自分の事業を見直すことができたみたい。

いよいよ、最強のビジネスプランの構築だ!

「強み」×「成長分野」は中小企業が力を発揮できる最強の組み合わせ

　実はSTEP②、③で取り組んでいただいた「自社の強み」と「身近な成長分野」は、ビジネス戦略の立案によく使われるSWOT分析理論のエッセンスを誰でも取り組めるようにしたものだ。それによれば「自社の強み」×「身近な成長分野」は、「最大に自社の強みを生かしビジネスチャンスを手に入れる、あなたの事業における最強の組み合わせ」と言われている。

自社の強みと身近な成長分野を活かせる新たなビジネスプランを作る

　STEP②、③の取り組みから、新たに開始するビジネスプランを考えてみよう。次ページの美容院の例を参考に、自社の強みと身近な成長分野が共に活かせるものがきっとあるはずだ。

新たに開始するビジネスプランを作る

最強のビジネスプランを作れ！

　ご自身のSTEP②、③の取り組みを参考に、新たなビジネスプランに取り組んでみてほしい。それは最高のビジネスプランになっているはずだ！

【例】S 美容院

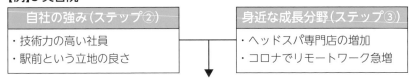

自社の強み（ステップ②）	身近な成長分野（ステップ③）
・技術力の高い社員 ・駅前という立地の良さ	・ヘッドスパ専門店の増加 ・コロナでリモートワーク急増

新たに開始するビジネスプラン（ステップ④）

・技術力の高い社員がヘッドスパの新たな技術を獲得し、コロナで急増したリモートワークで疲れた駅乗降客を癒す事業としてヘッドスパ事業に参入。
・ヘッドスパができる個室を店内に作り、居心地のいいシャンプー台を購入して、半年後をめどにヘッドスパサービスを開始する。

【ワークシート 4】記入欄

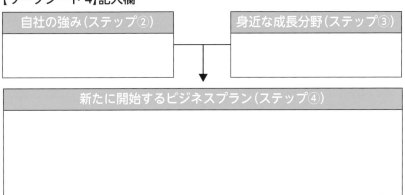

自社の強み（ステップ②）	身近な成長分野（ステップ③）

新たに開始するビジネスプラン（ステップ④）

ビジネスプランに名前をつける

新たに開始するビジネスプランに30文字で名前をつけよう！

　あなたが今回の補助金申請で取り組みたい事業を30文字で表現してみよう。これは、多くの補助金で事業計画の中に盛り込むべき必須の記述事項になっている。この30文字が、採択された際の「事業計画名」として紹介されるので、事業全体が端的にわかる表現を心がけてほしい。

あなたのビジネスプランに30文字以内で名前をつけよう

【例】S 美容院

リ	モ	ー	ト	ワ	ー	ク	の	疲	れ
1	2	3	4	5	6	7	8	9	10
を	癒	す	個	室	ヘ	ッ	ド	ス	パ
11	12	13	14	15	16	17	18	19	20
事	業	の	立	ち	上	げ			
21	22	23	24	25	26	27	28	29	30

【ワークシート5】あなたの事業計画名を30文字で表現してください

1	2	3	4	5	6	7	8	9	10
11	12	13	14	15	16	17	18	19	20
21	22	23	24	25	26	27	28	29	30

STEP❻
事業概要を100文字で表現する

> 次は事業概要の取り組みだ！ 事業内容をひとことで表現しよう！

> 30文字の次は100文字！ 少しずつやりたいことが見えてきた。

事業全体をわかりやすく一言で表現

　100文字での事業概要も、ほとんどの補助金申請時に必須となる大切な取り組みだ。審査員はいくつもの事業計画を読み採点しなければならないので、審査員は必ず読んで事業計画の全体像を把握するはずだから、ストレートでわかりやすい表現が求められる。

　さらに新事業で生み出される商品・サービスの特徴や新規性が、この100文字の中に盛り込めると審査員の評価は高まるはずだ。何度か書き直すことを前提に一度チャレンジしてみよう。

5W1Hを意識すると事業概要はスラスラ書ける！

　5W1Hとは、「When（いつ）」「Where（どこで）」「Who（だれが）」「What（なにを）」「Why（なぜ）」「How（どのように）」の英単語の頭文字をとった言葉で、情報をこの要素で整理することで正確に伝わりやすくするというフレームワークだ。補助金申請における5W1Hの問いかけの例を次ページに掲載したので、参考にして事業概要をまとめてほしい。

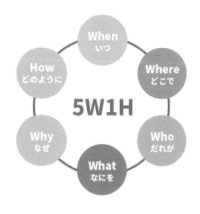

【例】S美容院

5W1H	実施内容
Why? なぜ？	リモートワークで目の疲れや肩こりに悩んでいる人にヘッドスパのサービスを提供し、元気になってもらいたいです。
What? なにを？	「60分個室ヘッドスパ」メニューを提供します。他店にない質の高い独自メニューのヘッドスパを提供します。
Who? 誰に？	美容院に来られるお客様に提供しつつ、近隣の住民の方や最寄りの●●駅を利用する方に利用していただきます。
How? どのように？	施術は、専門のヘッドスパ技術の研修を受けた当美容室のスタッフが行います。60分税込6,600円の価格で提供します。
Where? どこで？	店舗を改装し個室を作ります。コロナウイルス感染リスクが少なく、リラックスできるこの個室スペースで施術を行います。
When? いつ？	店舗の改装やホームページの改修などを補助金採択から6ヶ月程度で終え、●●年●月から営業開始を予定しています。

【ワークシート6-1】補助金申請における5W1Hの問いかけ

5W1H	実施内容
Why? なぜ？	
What? なにを？	
Who? 誰に？	
How? どのように？	
Where? どこで？	
When? いつ？	

事業全体をわかりやすく一言で表現

【ワーク6-1】の取り組みで設計した事業概要の中から特徴的な部分を抽出して100文字の事業概要を作ろう。なんども取り組み直して、この事業の特徴や魅力が伝わる表現を工夫しよう。社内のスタッフやコンサルタントに意見を仰ぐのもいいだろう。

事業概要を100文字で表現してみよう！

【例】S美容院

従来のオープンスペースを仕切り、シャンプー台スペースを個室スペースに改装します。スタッフの技術力、接客力を活かし、他店にない独自メニューによるヘッドスパサービスにより、新規顧客の獲得を図ります。

【ワークシート6-2】事業概要を100文字程度で記述してください。

あなたの事業には大手に負けない 「強み」があり、 それを活かせるビジネスチャンスが必ずある！

　この第一段階の取り組みはこれで終了。

　普段の仕事を横に置いて、じっくりと周りを見渡すと意外に多くのビジネスチャンスがあることに気づいた方も多いだろう。

　また、「自社の強み」と「身近な成長分野」を掛け合わせることで「新たに開始するビジネスプラン」を決定する取り組みは、優秀な多くの経営者が実践している効果的な経営手法のため、今までどうしても一歩踏み出せなかった事業への道筋が明確になったはずだ。

　「身近な成長分野」は、マーケットの広がりとともに、満たされないユーザーのニーズが発生する。その中に「自社の強み」をさらに活かせるビジネスチャンスが必ず存在する。

　補助事業計画作成をきっかけにあなたの事業に存在する大きな可能性を見つけて欲しい。

第二段階
具体的な事業の内容を明確にする

具体的な事業の内容を明確にする

第2段階		
自社の取組む新事業をその商品から販売まで行動計画に落とし込み、事業内容を明確に審査員に説明する	ステップ⑦	商品・サービスを設計する
	ステップ⑧	ターゲット市場を設定する
	ステップ⑨	販売促進計画を作成する
	ステップ⑩	実施体制・スケジュールを作成する
	ステップ⑪	申請したい補助事業経費を決める

※下記のアドレスからワークシートがダウンロードできます。
https://www.eastpress.co.jp/9784781621593/dl.html

商品・サービスを設計する

 「競合他社に負けない商品・サービス」ってどうやって考えるの？

ランチェスター戦略理論の「弱者の戦略」で考えよう！

大手企業に負けない中小企業の商品・サービス戦略は「弱者の戦略」

「中小企業は価格、性能、品揃えはどれを取っても大企業には勝てない」
という声を聞くけどそれは間違い。

　中小企業には中小企業に適した戦略がある。ランチェスター戦略理論が
それだ。この理論を使って大企業に負けない商品・サービスを設計しよう。

中小企業・個人（弱者）と大企業（強者）の戦略の違い

戦略	中小企業・個人（弱者）	大企業（強者）
商品戦略	差別化・オンリーワン	品揃え豊富
地域戦略	地元密着・地域で一番	広範囲に宣伝
顧客戦略	個人へ・口コミ重視	客層別にマーケティング

※ランチェスター戦略理論より筆者が作成

【例】S 美容院

比較項目	自社	競合他社(大企業が好ましい)
競合企業名と立地	S 美容院(自社店舗)●●駅徒歩 10 分 マンション 1 階	ヘッドスパ専門店 　●●駅前店 　●●駅前の雑居ビル
価格と内容	60分ヘッドスパ(￥6,000税込)オイルによるトリートメント、スパミスト、クレンジング、マッサージ。	60分ヘッドスパ(￥8,800税込)専用オイルを使用したもみほぐし(頭皮・首・肩などを含む)
特徴	頭皮に特化したクレンジングとトリートメントとリラクゼーション効果がウリ。	頭皮を中心に首・肩などのもみほぐしがメインなのでマッサージに近い。
競争力	美容意識の高い 20-40 代の男女に優位性があり、個別の悩みにも対応できる。価格も安い。	高級感のある店構えとブランドの安心感があることから、市場価格は平均より高い。
プロモーション戦略	フォロワーが 1 万人いるインスタグラムでの告知を中心に、ポスター、HP での展開を行う。	チェーン店の知名度と信頼感を牛かした駅構内の広告・店舗看板・ホームページで行っている

【ワークシート 7】競合他社に負けない商品・サービスの設計

比較項目	自社	競合他社(大企業が好ましい)
競合企業名と立地		
価格と内容		
特徴		
競争力		
プロモーション戦略		

ターゲット市場を設定する

「ターゲット市場の設定」は事業の実現可能性を高める取り組みだ!

ターゲット市場の設定

　ターゲット市場の設定は、販売促進の対象を明確にし、自社の立ち位置を明確にすることで、競合他社との価格競争を防ぎ新規事業を成功に導く大切な取り組みだ。下の手順を読んで、ワーク8に取り組んで欲しい。

ターゲット市場の設定の手順

①提供する商品
　ステップ⑦で取り組んだ商品を記入する。

②対象となる市場
　提供する商品の販売を見込むマーケットを設定する。

③市場規模推計
　その市場規模を自治体のホームページなどを参考に人数や金額で推計する。

④市場の細分化
　対象となる市場の「軸」を設定して細分化しグループ分けを行い、自社の商品・サービスに最適なグループを探す。

⑤ターゲット市場の選定と設定理由
　ターゲット市場を設定し、その理由を書く。

⑥設定したターゲット市場の中での自社の立ち位置を決める
　競合他社を調べ、他社と被らない立ち位置を設定する。

【例】S 美容室

① 提供する商品
ヘッドスパ　60分

② 対象となる市場	③ 市場規模推計
●●駅の利用者 ●●駅周辺住民	●●駅利用者10万人（1日の乗降者） ●●駅周辺住民3万世帯（半径10km）

④ 市場の細分化

（　　　　　　年齢×性別　　　　　　）の軸で市場を細分化
（　　●●社ヘッドスパアンケート調査　2019年　）の統計資料を利用
20～29歳×女性⇨ヘッドスパを受けたいと思ったことがある 72.6% 30～39歳×女性⇨ヘッドスパを受けたいと思ったことがある 80.0% 40～49歳×女性⇨ヘッドスパを受けたいと思ったことがある 59.5% 50～60代×女性⇨ヘッドスパを受けたいと思ったことがある 44.0%

⑤ ターゲット市場の設定と設定理由

　20～29歳の女性の72.6%、30～39歳の女性の80%がヘッドスパを受けたいと思っている。しかし、40歳を越えると徐々にその割合が下がっている。そこで、●●駅を利用したり、●●駅周辺の住民の中で、20～39歳の女性をターゲットとする。

⑥ 設定したターゲット市場の中での自社の立ち位置を決める

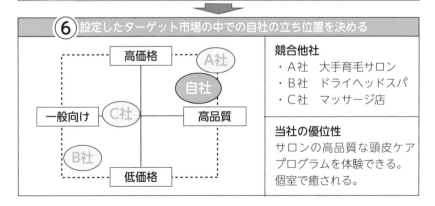

競合他社
・A社　大手育毛サロン
・B社　ドライヘッドスパ
・C社　マッサージ店

当社の優位性
サロンの高品質な頭皮ケアプログラムを体験できる。
個室で癒される。

【ワークシート 8】下のシートに取り組もう

1.提供する商品	
2.対象となる市場	3.市場規模推計

4.市場の細分化
（　　　　　　　　　　　　　　　　　　　　　）の軸で市場を細分化 （　　　　　　　　　　　　　　　　　　　　　）の統計資料を利用

5.ターゲット市場の設定と設定理由

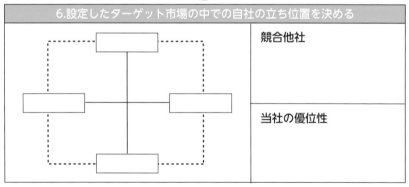

6.設定したターゲット市場の中での自社の立ち位置を決める

競合他社

当社の優位性

販売促進計画を作成する

 販売促進とマーケティングは同じなの?

 販売促進は商品・サービス・価格・流通などと並んで
マーケティングの中核をなす活動なんだ。

「販売促進」が重要な理由

モノがあふれている現代において、ユーザーは数多くの中から購入したい商品を選択しなければならない。同様の商品やサービスがあり、他社も販売促進に取り組んでいる中にあってどんなにいい商品やサービスであっても、お客様に商品の情報が届かなければ、購入する候補の対象とはならない。そのため、競合商品との差別化を図りながら、自社商品の魅力を伝えるために、販売促進計画は事業計画書に不可欠な要素だ。

販促(販売促進)の3つの目的

①認知度向上

陳列するなど店舗での施策のほか、テレビや街頭モニター、雑誌などの媒体を通して広告を活用することなどがある。

②購入促進

キャンペーンなどを企画し商品・サービスの購入のきっかけを作り、売上目標の達成を導く。

③リピート獲得

購入者に対し次回以降利用できるクーポンを配布することや、ポイントカードを導入することなどでリピートを促す。

　目的別に、効果的な販売促進策を一覧表にまとめたので活用してほしい。

目的	販売促進策	長所・活用シーン	短所・課題
①認知度向上	テレビ・ラジオ プレスリリース	即効性があり、大きな効果を得ることができる	実施するのに多くの予算がかかるので、費用対効果を明確にする必要がある
	ホームページ ブログページ	新サービス・お知らせを追加する際に WEB サイトは情報の変更・更新が簡単	維持管理費用がかかるのと運営ノウハウがないと活用ができないので注意が必要
	インスタグラム フェイスブック などの SNS 媒体	無料で使えて、反響も大きく中小企業での利用が増えている	年齢層によって使っているSNS が違うので、対象に合わせた媒体の選定が必要
	チラシ・クーポン 割引券等の配布	地域密着企業に適しているネット広告などと組み合わせると効果的	SNS などと組み合わて使用しない場合は、効果が出ないケースが多い
②購入促進	相談会・見本市 体験会・見学会	着実に商談に結びつけることができる有効な方法で、リモートでコスト削減可能	ネット広告や SNS 媒体での告知・集客が必須、参加者との意思疎通の工夫が必要
	セミナー・勉強会		
	販売スタッフ による営業活動	ネット問い合わせと連動させるなどをすることで効果的な販売が可能	大きな人件費がかかる上に個人差が大きいのでノウハウがない場合は注意が必要
	オンラインサロン	クローズドな空間で交流できるため、熱心なファンがつきやすい	サロンオーナーの力量に大きく左右されるため、オーナーの実績や経歴が大切
③リピート促進	ポイントカード	顧客ロイヤリティの向上、顧客情報の管理、客単価の向上など様々な効果を期待できる	紙のものはかさばるため、敬遠されたり、捨てられたりする可能性が高い
	LINE 公式 アカウント	ユーザー数 No.1 の巨大プラットフォームで集客や販促に便利な機能も揃っている	簡単にブロックできてしまう、アカウントが BAN（削除）されるなどの対策が必要
	メールマガジン （メルマガ）	ユーザーの購買行動に最も影響を与える効果的な媒体であることが実証されている	効果を上げるためには一定数の規模が必要だが、アドレスの収集が難しい
	お得意様向け 優待イベント	商談という明確な目的があるので、販売額が見込める上に親密な関係を作れる	企画の立案が大変な上、開催費用がかかるので小規模なものから始める必要がある

目的別の販売促進計画を作成する

　左の「効果的な販売促進策一覧表」を参考に「認知度向上」、「購入促進」、「リピート促進」の3つの目的別に「実施対象」、「販売促進策の内容」、「重要達成目標」などの計画を立てよう。実際の販売促進活動をイメージして具体的で無理のない計画を立てることが大切。インスタグラムのフォロワーが多いなどの強みがあれば是非活用してほしい。

　S美容室の例を参考に【ワーク9】に取り組んでみよう。

販売促進計画の作成

【例】S 美容室

① 認知度向上	② 購入促進	③ リピート促進
実施対象		
・インスタグラム利用者（#ヘッドスパなど） ・ホームページ閲覧者 ・店舗前の道路の通行人	・ヘアカットなどヘッドスパ以外の目的で来店したお客様 ・インスタグラムのフォロワー（1万人）	・ヘッドスパ利用者
販売促進策の内容		
・ホームページにヘッドスパメニューを掲載 ・インスタグラムにヘッドスパの写真や動画をアップする ・窓枠にポスター	・インスタグラムにヘッドスパの写真や動画をアップする ・美容院の来店客に割引クーポンを配布する	・LINE公式アカウント予約システム、ポイントシステム ・電子カルテシステムの導入でリピート促進を図る
重要達成目標		
・インスタグラム閲覧数 　　　月間5,000人以上 ・ホームページ閲覧数 　　　月間2万アクセス以上	・インスタグラム更新 　　　週2回以上 ・インスタグラムフォロワー数 　　　月間＋200人以上 ・来店客クーポン配布率 　　　60%以上	・リピート率 　　　6ヶ月以内30% ・LINE公式加入率 　　　80%以上 ・電子カルテ登録率 　　　80%以上

【ワークシート 9】 販売促進計画を書き出そう

① 認知度向上	② 購入促進	③ リピート促進
実施対象		
販売促進策の内容		
重要達成目標		

実施体制・スケジュールを作成する

 「実施体制・スケジュール」とはどうやって書くの?

 ポイントは「大雑把すぎず、細かすぎず、簡潔に」なんだ!
審査委員が見るポイントは、「実現可能性」なんだ。

実施体制の作成方法

　実施体制は、社内を含めた具体的な事業の実施体制を記入する。事業を実施するための機能の担当者は誰かを具体的な固有名詞をあげよう。

事業名【ヘッドスパ事業】

技術指導責任者（社外）	プロジェクト責任者
●●コーポレーション	代表取締役 ●●●●●
（社外協力者）	

店舗管理責任者	予約・会計管理責任者	施術指導責任者
社員・美容師 ●●●●	社員・美容師 ●●●●	社員・美容師 ●●●●
（社内担当者）	（社内担当者）	（社内担当者）

スケジュールの作成方法

　スケジュールは、実施時期および順序をステップごとに時間軸で示す。これまで取り組んだ内容とリンクしており、整合性が取れている必要がある。

実施期間【20●●年 1月から12月】

項目	1月	2月	3月	4月	5月	6月	7月	8月
1 店舗改装工事		●→						
2 ホームページ修正		●→						
3 予約システム作成		●→						
4 社員研修				●→				
5 予約受付						●→		
6 販売促進活動						●→		

審査委員は、
実施体制・スケジュールで
「実現可能性」を見る!

実施体制の作成方法の注意点

　プロジェクト責任者の両横に社外の協力者をいれることで、事業の広がりをアピールしよう。下段にはプロジェクトを推進する社内の役割を4〜5項目挙げよう。名前は重複してもOK。補助金等の資金管理が可能であることを示すため、経理担当者は必ず入れよう。

組織図

【例】　S美容室

事業名【ヘッドスパ事業】

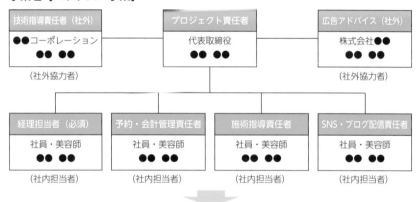

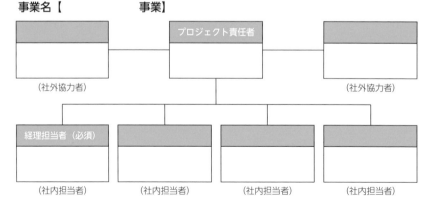

【ワークシート10-1】　組織図を書き出そう

事業名【　　　　　　　　事業】

【例】 S美容室

実施期間【20●●年1月から12月】

項目	1月	2月	3月	4月	5月	6月	7月	8月	9月	10月	11月	12月
①店舗改装工事		●→										
②ホームページ修正		●→										
③予約システム作成		●→										
④社員研修				●→								
⑤予約受付						●→						
⑥販売促進活動						●→						→

実施内容（上記計画の説明）

①店舗改装工事	ヘッドスパ用の個室の設営（仕切り作成、床配管、壁紙）
②ホームページ修正	店舗写真、メニューとこだわりをHPに追加する
③予約システム作成	クラウド予約システムを作成し、導入する
④社員研修	ヘッドスパの技術研修を1時間ずつ通算5時間行う
⑤予約受付	③の予約システムを使ってヘッドスパの予約を行う
⑥販売促進活動	販売促進計画に基づき販売促進活動を実行する

【ワークシート10-2】 例に倣ってスケジュールと実施内容を完成させよう

実施期間【　　年　　月から　　　年　　月】 ●──→ で期間を表示

項目	月	月	月	月	月	月	月	月	月	月	月	月
①												
②												
③												
④												
⑤												
⑥												

実施内容（上記計画の説明）

①	
②	
③	
④	
⑤	
⑥	

STEP⓫
申請したい補助事業経費を決める

どんな物でも補助金の対象になるの?

各補助金の「募集要項」をしっかり読んで確認してほしい。

事業計画に必要なものしか補助金対象にならない

　補助金の対象となる経費項目については、各補助金の募集要項に書かれている。下の表は、代表的な補助金で認められる経費項目の一覧だ。あくまで事業計画を達成するために必要と事務局が認めたものだけが補助金の対象となる。

補助金で認められる経費項目の例（2022年10月現在）

事業再構築補助金	ものづくり補助金	小規模事業者持続化補助金
建物費	機械装置・システム構築費	機械装置等費
機械装置・システム構築費	技術導入費	広報費
技術導入費	専門家経費	ウェブサイト関連費
専門家経費	運搬費	展示会等出展費
運搬費	クラウドサービス利用費	旅費
クラウドサービス利用費	原材料費	開発費
外注費	外注費	資料購入費
知的財産権等関連経費	知的財産権等関連経費	雑役務費
広告宣伝・販売促進費		借料
研修費		設備処分費
		委託 ・外注費

※経費項目は、それぞれの補助金の募集要項をご覧ください。

事業計画の達成に必要な経費をピックアップ！

　ステップ①から⑩の取組の中で、事業計画の細部が明確になってきたはずだ。この段階なら、事業の全体を見渡して、「どんな経費が必要か」が明確になっていることだろう。それを下記の例にしたがいピックアップしてほしい。ただし、経費として認められるかどうかは、最終的には事務局の判断となるので今の段階では未定である。

申請したい補助事業経費を決める

【例】S 美容院

経費区分	申請経費項目	数量	見積金額 （税抜）	想定補助金額 補助率（2／3） 上　限（100万円）
機械装置等費	店舗改装費用	1	￥900,000	￥600,000
ウェブサイト関連費	ホームページ改修	1	￥150,000	￥100,000
広告宣伝費	ポスター作成	1	￥90,000	￥60,000
広告宣伝費	パンフレット作成	1,000	￥360,000	￥240,000
合　計			￥1,500,000	￥1,000,000

【ワークシート11】補助事業経費の内容を決定してください

経費区分	申請経費項目	数量	見積金額 （税抜）	想定補助金額 補助率（　　） 上　限（　　）
合　計				

「自社の強み」を活かし、あなたの会社にしかできない「三方よし」の商品・サービスを生み出す

　第二段階は、補助事業計画の中核となる取り組みだ。「自社の強み」を活かしたあなたの会社にしかできない商品・サービスが完成したとき、大きな喜びを体験されることだろう。

　私は、毎回のコンサルティングでその喜びを経営者の方々と共有させてもらっている。

　このシートの取り組みを通して生み出された商品・サービスは、「自社の強み」からスタートしているため、あなたの会社にしか作れないオリジナリティの高い商品・サービスとなっているはずだ。

　オリジナリティの高い商品・サービスは、購入したお客様に今までにない利便性や満足感などの利益をもたらす一方、あなたの会社にとっても価格競争の必要がなく、適正な利益を得ることができる商材として収益や生産性の向上に貢献することになるだろう。さらに、あなたの会社が属する地域や業界にとっても、地域の活性化や業界の発展などに貢献することができる。つまり、この取り組みは、買い手よし、売り手よし、世間よしの「三方よし」の商品・サービスを生み出すことなのだ。

第三段階
会社全体への効果を数値化する

会社全体への効果を数値化する

第3階		
自社の取組む新事業が採算性が高いことを審査員に対し数字で証明するために、損益計画書と重要指標一覧表を作成する	ステップ⑫	直前期・今期の損益計算書をつくる
	ステップ⑬	売上・仕入・粗利計画をつくる
	ステップ⑭	人件費計画をつくる
	ステップ⑮	補助経費計画をつくる
	ステップ⑯	利益計画や付加価値計画をつくる
	ステップ⑰	３年間の数値計画を完成させる
	ステップ⑱	重要指標を計算する

※下記のアドレスからワークシートがダウンロードできます。
https://www.eastpress.co.jp/9784781621593/dl.html

STEP⓬
直前期・今期の損益計算書をつくる

 まずはここからスタートだ！

直近（直前期）決算書の損益計算書を転記する

　補助事業の影響のない直近（直前期）決算を参考にして、今期決算の見込み数値を記入する。見込みに大きな変化がなければ、直近決算の値を代用する。

直近の決算書の損益計算書

【例】S美容院

※今期決算の見込みについては、確定していないため、直近決算と同じ数値を入れるのが一般的です。	項　　目	直近決算	今期決算の見込み
	決　算　期	第1期	第2期
	決算年月	2021/12	2022/12
転記方法・計算式	従業員数（人）	4人	4人
❶＝直近決算書の売上を転記	①売上	¥35,000,000	¥35,000,000
❷＝直近決算書の売上原価を転記	②売上原価	¥6,000,000	¥6,000,000
❸＝❶－❷	③売上総利益	¥29,000,000	¥29,000,000
❹＝直近決算書の役員報酬を転記	④役員報酬	¥5,000,000	¥5,000,000
❺＝直近決算書の給与を転記	⑤給与	¥5,000,000	¥5,000,000
❻＝直近決算書の賞与を転記	⑥賞与	¥1,000,000	¥1,000,000
❼＝直近決算書の法定福利費を転記	⑦法定福利費	¥1,500,000	¥1,500,000
❽＝直近決算書の福利厚生費を転記	⑧福利厚生費	¥1,000,000	¥1,000,000
❾＝直近決算書の減価償却費を転記	⑨減価償却費	¥2,000,000	¥2,00,000
❿＝販売費・一般管理費－（❹～❾の総和）	⑩その他の経費	¥9,500,000	¥9,500,000
⓫＝❸－（❹～❿の総和）	⑪営業利益	¥4,000,000	¥4,000,000
⓬＝直近決算書の特別利益－特別損失	⑫特別損益	¥0	¥0
⓭＝⓫－⓬	⑬経常利益	¥4,000,000	¥4,000,000
⓮＝⓫＋❹＋❺＋❻＋❼＋❽＋❾	⑭付加価値額	¥19500000	¥19500000

【ワーク12】直近決算

項　　目	直近(直前期)決算	今期決算の見込み
決算期	第　　　　期	第　　　　期
決算年月		
従業員数（人）	人	人
❶売上	¥	¥
❷売上原価	¥	¥
❸売上総利益	¥	¥
❹役員報酬	¥	¥
❺給与	¥	¥
❻賞与	¥	¥
❼法定福利費	¥	¥
❽福利厚生費	¥	¥
❾減価償却費	¥	¥
❿その他の経費	¥	¥
⓫営業利益	¥	¥
⓬特別損益	¥	¥
⓭経常利益	¥	¥
⓮付加価値額	¥	¥

> 見込みに大きな変化がなければ、直近決算の値を代用して構いません。

※転記上の注意
1. 「❿その他の経費」には、販売費・一般管理費から❹〜❾の総和を引いたものを転記ください。
2. 「⓮付加価値額」の計算方法は様々な考え方がありますが、事業再構築補助金、ものづくり補助金など代表的な補助金では、「営業利益＋人件費＋減価償却費」となっていますので今回はこの式を採用します。

売上・仕入・粗利計画をつくる

売上がアップするか自信がないわ……。

「生産性向上」が目的だから売上が上がる計画書が必要なんだ!

補助金申請のための売上予測

販売する商品を1〜3商品にカテゴリー分けする

　仮に、事業計画で30種類の商品の販売を予定しているような場合でも、1〜3商品にカテゴリー分けして単純化するのも、補助金申請のための事業計画書作成のノウハウの一つだ。

販売予定商品を1〜3商品にカテゴリーにまとめる

　新事業で取り組む新しい商品・サービスを1〜3のカテゴリーに分けて、販売単価と3年後までの予想販売個数から売上予測を立ててみよう。
　次ページからあなたの事業計画の売上、仕入、粗利計画を立てていこう。全て、例を提示しているので簡単にできるはずだ。

売上計画を作成する

「補助金申請のための売上予測①〜③」を参考にして、あなたの事業計画の売上予測をしてみよう。

$$予想売上金額 ＝ 販売単価 × 予想販売個数$$

【例】S美容院

商品名	税込価格	単位内容	1年後 年間販売数量 年間売上金額	2年後 年間販売数量 年間売上金額	3年後 年間販売数量 年間売上金額
ヘッドスパ	¥6,000	1回60分	500	600	700
			¥3,000,000	¥3,600,000	¥4,200,000
オイルマッサージ付きヘッドスパ	¥7,000	1回60分	200	300	400
			¥1,400,000	¥2,100,000	¥2,800,000
ヘッドスパサブスクリプション	¥20,000	1月無制限	100	200	300
			¥2,000,000	¥4,000,000	¥6,000,000
合計			¥6,400,000	¥9,700,000	¥13,000,000

【ワークシート13-1】売上計画を完成させよう。

商品名	税込価格	単位内容	1年後 年間販売数量 年間売上金額	2年後 年間販売数量 年間売上金額	3年後 年間販売数量 年間売上金額
	¥				
			¥	¥	¥
	¥				
			¥	¥	¥
	¥				
			¥	¥	¥
合計			¥	¥	¥

仕入計画を作成する

　仕入計画は、売上計画同様のやり方で求めることができる。商品ごとの原価率を計算し、売上高に原価率をかけることで求められる。各商品の仕入額を合計すると補助事業の仕入額が算定できる。

$$\boxed{仕入金額　=　売上高　×　原価率}$$

【例】S 美容院

商品名	税込仕入 (原価率)	単位 内容	1年後 年間販売数量 年間仕入金額	2年後 年間販売数量 年間仕入金額	3年後 年間販売数量 年間仕入金額
ヘッドスパ	¥1,200 (20%)	1回 60分	500	600	700
			¥600,000	¥720,000	¥840,000
オイルマッサージ 付きヘッドスパ	¥2,100 (30%)	1回 60分	200	300	400
			¥420,000	¥630,000	¥840,000
ヘッドスパ サブスクリプション	¥2,000 (10%)	1月 無制限	100	200	300
			¥200,000	¥400,000	¥600,000
合計			¥1,220,000	¥1,750,000	¥2,280,000

【ワークシート 13-2】仕入計画を完成させよう。

商品名	税込仕入 (原価率)	単位 内容	1年後 年間販売数量 年間仕入金額	2年後 年間販売数量 年間仕入金額	3年後 年間販売数量 年間仕入金額
	¥				
			¥	¥	¥
	¥				
			¥	¥	¥
	¥				
			¥	¥	¥
合計			¥	¥	¥

売上総利益（粗利）計画を作成する

　粗利益は、売上高に粗利率（売上）をかけることで求められる。商品ごとの粗利率を計算し、売上高に粗利率をかけることで求められる。各商品の粗利益額を合計すると補助事業の粗利益額が算定できる。

$$\text{売上総利益（粗利）} = \text{売上高} \times \text{粗利率（100\%－原価率）}$$

【例】S 美容院

商品名	粗利益 （粗利率）	単位 内容	1年後 年間販売数量 年間粗利金額	2年後 年間販売数量 年間粗利金額	3年後 年間販売数量 年間粗利金額
ヘッドスパ	¥1,200 （80%）	1回 60分	500	600	700
			¥2,400,000	¥2,880,000	¥3,360,000
オイルマッサージ 付きヘッドスパ	¥2,100 （70%）	1回 60分	200	300	400
			¥980,000	¥1,470,000	¥1,960,000
ヘッドスパ サブスクリプション	¥2,000 （90%）	1月 無制限	100	200	300
			¥1,800,000	¥3,600,000	¥5,400,000
合計			¥5,180,000	¥7,950,000	¥10,720,000

【ワークシート 13-3】粗利計画を完成させてください。

商品名	粗利益 （粗利率）	単位 内容	1年後 年間販売数量 年間粗利金額	2年後 年間販売数量 年間粗利金額	3年後 年間販売数量 年間粗利金額
	¥				
			¥	¥	¥
	¥				
			¥	¥	¥
	¥				
			¥	¥	¥
合計			¥	¥	¥

　これまで取り組んできた【ワークシート12】の**❶**売上、**❷**売上原価、**❸**売上総利益を「補助事業以外」の欄に転記し、【ワークシート13-1、2、3】で取り組んだ**❶**売上、**❷**売上原価、**❸**売上総利益を「補助事業」欄に転記し合計を計算しよう。

【例】S 美容院

項目	区分	1年目	2年目	3年目
❶売上	補助事業	¥6,400,000	¥9,700,000	¥13,000,000
	補助事業以外	¥35,000,000	¥35,000,000	¥35,000,000
	合計	¥41,400,000	¥44,700,000	¥48,000,000
❷売上原価	補助事業	¥1,220,000	¥1,750,000	¥2,280,000
	補助事業以外	¥6,000,000	¥6,000,000	¥6,000,000
	合計	¥7,220,000	¥7,750,000	¥8,280,000
❸売上総利益	補助事業	¥5,180,000	¥7,950,000	¥10,720,000
	補助事業以外	¥29,000,000	¥29,000,000	¥29,000,000
	合計	¥34,180,000	¥36,950,000	¥39,720,000

【ワークシート 13-4】

項目	区分	1年目	2年目	3年目
❶売上	補助事業			
	補助事業以外			
	合計			
❷売上原価	補助事業			
	補助事業以外			
	合計			
❸売上総利益	補助事業			
	補助事業以外			
	合計			

人件費計画をつくる

新事業に人を雇用する場合は？

全体の収益を大きく左右するから人件費計画を作成しよう！

新事業に必要な人員計画を考える

　人件費計画では、給与、賞与以外に「法定福利費」と「福利厚生費」が含まれる。

生産性の計算式

人件費 ＝ 役員報酬 ＋ 給与 ＋ 賞与 ＋ 法定福利費 ＋ 福利厚生費

※今回、新事業においては役員報酬は考えません。

法定福利費

　法定福利費とは、雇用する企業で法律で義務付けられている費用です。具体的には、健康保険料、厚生年金保険料、介護保険料、雇用保険料、労災保険料、子ども・子育て拠出金の企業負担分が該当します。

福利厚生費

　福利厚生費とは、企業が給与以外に社員のために利用する費用です。業務には直接関係しない費用となり、例えば、社員旅行費やレクリエーション費・健康診断費用などが該当します。

新事業の人件費計画を作成する

 「新事業のみ」の人件費計画を作成しよう！

【例】S 美容院

項目	雇用の区分	1年後 (常時雇用社員数)	2年後 (常時雇用社員数)	3年後 (常時雇用社員数)
人員計画 (新事業)	正社員	1人	1人	1人
	パート	1人	1人	1人
5 給与 （新事業）	正社員	¥3,000,000	¥3,000,000	¥3,000,000
	パート	¥1,500,000	¥1,500,000	¥1,500,000
6 賞与 （新事業）	正社員	¥500,000	¥500,000	¥500,000
	パート	¥0	¥0	¥0
7 法定福利費 （新事業）		¥450,000	¥450,000	¥450,000
8 福利厚生費 （新事業）		¥150,000	¥150,000	¥150,000
合計		¥5,600,000	¥5,600,000	¥5,600,000

【ワークシート 14-1】人件費計画を完成させよう。

項目	雇用の区分	1年後	2年後	3年後
人員計画 (新事業)	正社員	人	人	人
	パート	人	人	人
5 給与 （新事業）	正社員	¥	¥	¥
	パート	¥	¥	¥
6 賞与 （新事業）	正社員	¥	¥	¥
	パート	¥	¥	¥
7 法定福利費 （新事業）		¥	¥	¥
8 福利厚生費 （新事業）		¥	¥	¥
合計		¥	¥	¥

　これまで取り組んできた【ワークシート12】の**4**役員報酬〜**8**福利厚生費を「補助事業以外」の欄に転記し、【ワークシート14-1】で取り組んだ**4**役員報酬〜**8**福利厚生費を「補助事業」欄に転記し合計を計算しよう。ちなみに**4**役員報酬〜**8**福利厚生費の総和が人件費だ。

【例】S 美容院

項目	区分	1年目	2年目	3年目
従業員数（人）	補助事業	2人	2人	2人
	補助事業以外	4人	4人	4人
	合計	6人	6人	6人
4役員報酬	補助事業	¥0	¥0	¥0
	補助事業以外	¥5,000,000	¥5,000,000	¥5,000,000
	合計	¥5,000,000	¥5,000,000	¥5,000,000
5給与	補助事業	¥4,500,000	¥4,500,000	¥4,500,000
	補助事業以外	¥5,000,000	¥5,000,000	¥5,000,000
	合計	¥9,500,000	¥9,500,000	¥9,500,000
6賞与	補助事業	¥500,000	¥500,000	¥500,000
	補助事業以外	¥1,000,000	¥1,000,000	¥1,000,000
	合計	¥1,500,000	¥1,500,000	¥1,500,000
7法定福利費	補助事業	¥450,000	¥450,000	¥450,000
	補助事業以外	¥1,500,000	¥1,500,000	¥1,500,000
	合計	¥1,950,000	¥1,950,000	¥1,950,000
8福利厚生費	補助事業	¥150,000	¥150,000	¥150,000
	補助事業以外	¥1,000,000	¥1,000,000	¥1,000,000
	合計	¥1,150,000	¥1,150,000	¥1,150,000
人件費合計 （**4**〜**8** の合計）	補助事業	¥5,600,000	¥5,600,000	¥5,600,000
	補助事業以外	¥13,500,000	¥13,500,000	¥13,500,000
	合計	¥19,100,000	¥19,100,000	¥19,100,000

【ワークシート 14-2】

項目	区分	1年目	2年目	3年目
従業員数（人）	補助事業	人	人	人
	補助事業以外	人	人	人
	合計	人	人	人
4役員報酬	補助事業	¥	¥	¥
	補助事業以外	¥	¥	¥
	合計	¥	¥	¥
5給与	補助事業	¥	¥	¥
	補助事業以外	¥	¥	¥
	合計	¥	¥	¥
6賞与	補助事業	¥	¥	¥
	補助事業以外	¥	¥	¥
	合計	¥	¥	¥
7法定福利費	補助事業	¥	¥	¥
	補助事業以外	¥	¥	¥
	合計	¥	¥	¥
8福利厚生費	補助事業	¥	¥	¥
	補助事業以外	¥	¥	¥
	合計	¥	¥	¥
人件費合計 （**4**〜**8**の合計）	補助事業	¥	¥	¥
	補助事業以外	¥	¥	¥
	合計	¥	¥	¥

補助経費計画をつくる

補助経費計画とは何を指しているの?

補助事業経費（補助金で認められた経費）の会計処理を学ぼう。

補助事業経費の会計処理のポイント

経費を補助金対象として申請している経費とそれ以外に分ける

　補助事業計画書の損益計算書では、補助金対象として申請している経費が経営に与える影響を試算するため、補助事業経費以外は一定と考える。

　実際には、補助金以外の経費も変動するが、補助事業計画ではあくまで補助金の交付によって取得または支出した経費のみを計上して損益計画を立てるのがいいだろう。

今期中に補助金申請が採択され、補助事業を行ったと仮定する				
	補助事業 実施年度	補助事業 1年目	補助事業 2年目	補助事業 3年目
補助事業経費 費用(一括計上)				
資産(減価償却)				
補助対象ではない経費 （増減なしと仮定する）				
決算期　　　　直近期	今期	翌期	翌々期	翌々々期

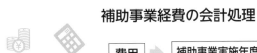

補助事業経費の会計処理

補助事業経費
- 費用 ➡ 補助事業実施年度に一括費用計上する
- 資産 ➡ 償却年数に従い減価償却する

新事業の経費計画を作成する

【例】S 美容院

経費項目	計上科目	会計処理	購入価格 （税込）	補助事業年度 一括計上	1～3年目 減価償却
店舗改装費用	機械装置等費	10年償却	¥990,000		¥99,000
ホームページ改修	機械装置等費	5年償却	¥165,000		¥33,000
ポスター作成	広告宣伝費	一括計上	¥99,000	¥99,000	
パンフレット作成	広告宣伝費	一括計上	¥396,000	¥396,000	
合計			¥1,650,000	¥495,000	¥132,000

※償却年数は税理士等と相談して決定してください。／※一括計上の期は事業計画によって変わります。
※減価償却は本書では定額法を採用しています。

【ワークシート 15-1】経費計画を完成させよう。

経費項目	計上科目	会計処理	購入価格 （税込）	補助事業年度 一括計上	1～3年目 減価償却
			¥	¥	¥
			¥	¥	¥
			¥	¥	¥
			¥	¥	¥
			¥	¥	¥
			¥	¥	¥
合計			¥	¥	¥

補助事業計画書では、補助金が投入されることによる損益の変化を見たいので、補助金が関連する費用と関係しない費用を分けて考える。その上で、補助事業の関連経費の費用を一括費用計上するのか減価償却に回すのか検討しよう。

会社全体の経費を予測する

これまで取り組んできた【ワークシート12】の⑨減価償却費、⑩その他の経費を「補助事業以外」の欄に転記し、【ワークシート15-1】で取り組んだ減価償却費、一括計上費用を「補助事業」欄に転記し合計を計算しよう。

【例】S美容院

項目	区分	補助事業年度（今期）	1年目	2年目	3年目
⑨減価償却費	補助事業	¥132,000	¥132,000	¥132,000	¥132,000
	補助事業以外	¥2,000,000	¥2,000,000	¥2,000,000	¥2,000,000
	合計	¥2,132,000	¥2,132,000	¥2,132,000	¥2,132,000
⑩その他の経費	補助事業	¥495,000	¥0	¥0	¥0
	補助事業以外	¥9,500,000	¥9,500,000	¥9,500,000	¥9,500,000
	合計	¥9,995,000	¥9,500,000	¥9,500,000	¥9,500,000

【ワークシート15-2】

項目	区分	補助事業年度（今期）	1年目	2年目	3年目
⑨減価償却費	補助事業	¥	¥	¥	¥
	補助事業以外	¥	¥	¥	¥
	合計	¥	¥	¥	¥
⑩その他の経費	補助事業	¥	¥	¥	¥
	補助事業以外	¥	¥	¥	¥
	合計	¥	¥	¥	¥

利益計画や付加価値計画をつくる

ここまで、売上、人件費、経費など損益計算の重要な部分の試算を行ってきたけど、ここからは、それを使った計算に入る。我々が訴えたいことは、「補助金の交付による生産性の向上」なので、ステップ⑯の取り組みはかなり重要だ！

ワークシートから計算する

　ワークシートを見返し、各欄を埋めて欲しい。今回の補助事業でどれだけの営業利益・経常利益・付加価値額となるか明らかにしよう。

会社全体の営業利益・経常利益・付加価値額を計算する

項目	計算式	参照ワークシート
⑪営業利益	❸売上総利益－（❹役員報酬＋❺給与＋❻賞与＋❼法定福利費＋❽福利厚生費＋❾減価償却費＋❿その他の経費）	❸ 【ワークシート 13-4】 ❹❺❻❼❽ 【ワークシート 14-2】 ❾❿ 【ワークシート 15-2】
⑫特別損益	現時点で事業期間の3年間に見込みがなければ¥0で可 ※⑫特別損益＝特別利益－特別損失で計算	
⑬経常利益	⑪営業利益－⑫特別損益	
⑭付加価値額	⑪営業利益＋❹役員報酬＋❺給与＋❻賞与＋❼法定福利費＋❽福利厚生費＋❾減価償却費 ※❹❺❻❼❽の和は人件費	❹❺❻❼❽ 【ワークシート 14-2】 ❾❿ 【ワークシート 15-2】

【例】S 美容院

項目	区分	1年目	2年目	3年目
⑪営業利益	補助事業	-¥552,000	¥2,218,000	¥4,988,000
	補助事業以外	¥4,000,000	¥4,000,000	¥4,000,000
	合計	¥3,388,000	¥6,218,000	¥8,988,000
⑫特別損益	補助事業	¥0	¥0	¥0
	補助事業以外	¥0	¥0	¥0
	合計	¥0	¥0	¥0
⑬経常利益	補助事業	-¥552,000	¥2,218,000	¥4,988,000
	補助事業以外	¥4,000,000	¥4,000,000	¥4,000,000
	合計	¥3,448,000	¥6,218,000	¥8,988,000
⑭付加価値額	補助事業	¥5,180,000	¥7,950,000	¥10,720,000
	補助事業以外	¥19,500,000	¥19,500,000	¥19,500,000
	合計	¥24,680,000	¥27,450,000	¥30,220,000

【ワークシート 16】

項目	区分	1年目	2年目	3年目
⑪営業利益	補助事業	¥	¥	¥
	補助事業以外	¥	¥	¥
	合計	¥	¥	¥
⑫特別損益	補助事業	¥	¥	¥
	補助事業以外	¥	¥	¥
	合計	¥	¥	¥
⑬経常利益	補助事業	¥	¥	¥
	補助事業以外	¥	¥	¥
	合計	¥	¥	¥
⑭付加価値額	補助事業	¥	¥	¥
	補助事業以外	¥	¥	¥
	合計	¥	¥	¥

3年間の数値計画を完成させる

 取り組みを全てまとめよう。付録のエクセルシートなら、すでにこの表ができ上がっているはずだ。

これまでの【ワークシート12】から【ワークシート16】の合体

次ページの「転記の手順」にしたがい合体してみよう。

新事業と旧事業を合体し、数値計画を完成させる

【例】S美容院

損益計画書 （単位：千円）

項　目	直近決算	今期決算の見込み	1年目	2年目	3年目	
決算期	第1期	第2期	第3期	第4期	第5期	
決算年月	2021/12	2022/12	2023/12	2024/12	2025/12	
従業員数（人）	4人	4人	6人	6人	6人	
❶売上	35,000	35,000	41,400	44,700	48,000	⑬
❷売上原価	6,000	6,000	7,220	7,750	8,280	
❸売上総利益	29,000	29,000	34,180	36,950	39,720	
❹役員報酬	5,000	5,000	5,000	5,000	5,000	
❺給与	5,000	5,000	9,500	9,500	9,500	
❻賞与	1,000	1,000	1,500	1,500	1,500	⑭
❼法定福利費	1,500	1,500	1,950	1,950	1,950	
❽福利厚生費	1,000	1,000	1,150	1,150	1,150	
❾減価償却費	2,000	2,132	2,132	2,132	2,132	⑮
❿その他の経費	9,500	9,995	9,500	9,500	9,500	
⓫営業利益	4,000	3,373	3,448	6,218	8,988	
⓬特別損益	0	0	0	0	0	⑯
⓭経常利益	4,000	3,373	3,388	6,218	8,988	
⓮付加価値額	19,500	18,873	24,6780	27,450	30,220	

（12は「直近決算」と「今期決算の見込み」の2列にまたがる）

転記の手順

1. 決算期、決算年月を入力しよう。

2. ⑫【ワークシート 12-1】より直近決算と今期決算の見込みをすべて転記。

3. ⑬【ワークシート 13-4】より【1〜3 年目】の ❶ 売上、❷ 売上原価、❸ 売上総利益を転記。

4. ⑭【ワークシート 14-2】より【1〜3 年目】の人件費(❹〜❽)の各項目を転記。

5. ⑮【ワークシート 15-2】より今期決算の見込み数値から【1〜3 年目】の ❾ 減価償却費、❿その他の経費を転記。それに伴い、【今期見込み】の⓫営業利益、⓭経常利益、⓮付加価値額を修正。

6. ⑯【ワークシート 16-2】より【1〜3 年目】の⓫営業利益、⓬特別損益、⓭経常利益⓮付加価値額を転記。

【ワークシート 17】
損益計画書

(単位：千円)

項　目	直近決算	今期決算の見込み	1年目	2年目	3年目
決算期	第　期	第　期	第　期	第　期	第　期
決算年月					
従業員数（人）	人	人	人	人	人
❶売上					
❷売上原価					
❸売上総利益					
❹役員報酬					
❺給与					
❻賞与					
❼法定福利費					
❽福利厚生費					
❾減価償却費					
❿その他の経費					
⓫営業利益					
⓬特別損益					
⓭経常利益					
⓮付加価値額					

STEP⑱
重要指標を計算する

 最後の取り組みは、「重要指標」。
補助金の交付で私の会社に何が起こるのか数字で説明するのがこの重要指標だ。
ここまでの取り組みで客観性のある重要指標を作ろう。

補助事業計画書の重要指標とは

　ここまで作ってきた損益計画の数値を使って、事業期間の伸び率などを分析するのがステップ⑱の取り組みだ。補助金の交付で会社全体の損益がどのように変化するのかを、⑮売上伸び率、⑯営業利益伸び率、⑰人件費伸び率、⑱累積経常利益、⑲費用対効果、⑳従業員一人あたりの付加価値額伸び率で分析する。

指標名	指標の表している意味
⑮売上伸び率	補助金入によって、全体としてどれくらい売上高が伸びるのかがわかる。伸び率が高いほど補助金入の効果が高いことになる。
⑯営業利益伸び率	営業利益は中小企業のエンジンと言われる重要な指標なので、伸び率が高いほど補助事業計画の効果が高いと評価される。
⑰人件費伸び率	補助金は賃金アップを目的にするものも多くあり、補助金によってその会社の賃金がどれだけアップするかは、審査員の大きな関心事である。
⑱累積経常利益	事業期間の1年目、2年目、3年目の経常利益を累積した数値。3年間の累積経常利益が補助金の投資額を下回ると補助金の投資効果がないことになるため重要な指標。
⑲費用対効果	3年間の累積経常利益 ÷ 補助金の額で求められ、補助金の投資効率がわかる指標となる。100%を下回ると投資効果が低いと判断できる。
⑳従業員一人あたりの付加価値額伸び率	付加価値額を従業員の人数で割ったもので、生産性向上の指標としてよく用いられる重要な指標である。補助金によっては伸び率の最低ラインが設定されているものもある。

基準年度について

　ここで大切なのは、「基準年度」という考え方だ。申請時期や決算月の影響で「どの年度を基準年度にするか？」という問題は見解や判断が別れるところである。基準年度は、補助金の事業の効果が売上に影響する直前の決算期の数値である。

　事業再構築補助金、ものづくり補助金などの補助金では、要項の中で明確に定義されているので参考にして欲しい。

　本書では、説明を簡単にするため、今期中に申請を出し、採択・交付決定を受け補助事業を行うことを前提としているので、「基準年度」＝「今期」としている。

　特に基準年度を指定している補助金については、その規定に従い、指定のない補助金に関しては、「今期」＝「基準年度」として問題がない場合が多い。

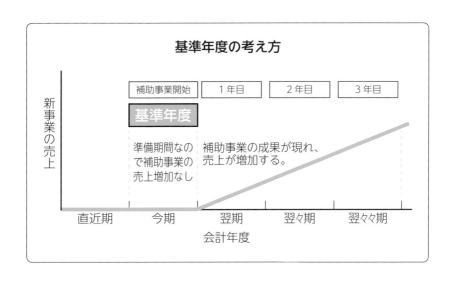

重要指標を計算する

 下の表の計算式を使ってワークシート17を完成させよう。

項目	計算式
⓯売上伸び率	1・2・3年目の❶売上 ÷ 基準年の❶売上
⓰営業利益伸び率	1・2・3年目の⓫営業利益 ÷ 基準年の⓫営業利益
⓱人件費伸び率	1・2・3年目の人件費合計 ÷ 基準年の人件費合計
⓲累積経常利益	1・2・3年目の経常利益の累計
⓳費用対効果	補助金の申請交付金額 ÷⓲累積経常利益
⓴従業員一人あたりの付加価値額伸び率	1・2・3年目の⓮付加価値額 ÷ 基準年の⓮付加価値額

【例】S 美容院

項 目	1年目	2年目	3年目
⓯売上伸び率	118.29%	127.71%	137.14%
⓰営業利益伸び率	102.22%	184.35%	266.47%
⓱人件費伸び率	141.48%	141.48%	141.48%
⓲累積経常利益（1年後〜3年後）	¥3,448	¥9,666	¥18,654
⓳費用対効果（補助金100万円に対して）	344.80%	966.60%	1,865.40%
⓴従業員一人あたりの付加価値額伸び率	-12.82%	-3.03%	6.75%

【ワークシート 17】

項 目	1年目	2年目	3年目
⓯売上伸び率	%	%	%
⓰営業利益伸び率	%	%	%
⓱人件費伸び率	%	%	%
⓲累積経常利益（1年後〜3年後）	¥	¥	¥
⓳費用対効果（補助金　　円に対して）	%	%	%
⓴従業員一人あたりの付加価値額伸び率	%	%	%

損益計画書

会社名：S 美容室

（単位：千円）

項　目	直近決算	今期決算の見込み	1年目	2年目	3年目
決算期	第1期	第2期	第3期	第4期	第5期
決算年月	2021/12	2022/12	2023/12	2024/12	2025/12
従業員数（人）	4人	4人	6人	6人	6人
❶売上	35,000	35,000	41,400	44,700	48,000
❷売上原価	6,000	6,000	7,220	7,750	8,280
❸売上総利益	29,000	29,000	34,120	36,950	39,720
❹役員報酬	5,000	5,000	5,000	5,000	5,000
❺給与	5,000	5,000	9,500	9,500	9,500
❻賞与	1,000	1,000	1,500	1,500	1,500
❼法定福利費	1,500	1,500	1,950	1,950	1,950
❽福利厚生費	1,000	1,000	1,150	1,150	1,150
❾減価償却費	2,000	2,132	2,132	2,132	2,132
❿その他の経費	9,500	9,995	9,500	9,500	9,500
⓫営業利益	4,000	3,373	3,448	6,218	8,988
⓬特別損益	0	0	0	0	0
⓭経常利益	4,000	3,373	3,448	6,218	8,988
⓮付加価値額	19,500	18,873	24,680	27,450	30,220

重要指標一覧

項　目	1年目	2年目	3年目
⓯売上伸び率	118.29%	127.71%	137.14%
⓰営業利益伸び率	102.22%	184.35%	266.47%
⓱人件費伸び率	141.48%	141.48%	141.48%
⓲累積経常利益（1年後～3年後）	¥3,448	¥9,666	¥18,654
⓳費用対効果（補助金100万円に対して）	344.80%	966.60%	1,865.40%
⓴従業員一人あたりの付加価値額伸び率	-12.82%	-3.03%	6.75%

【ワークシート18】

損益計画書

会社名：

(単位：千円)

項　目	直近決算	今期決算の見込み	1年目	2年目	3年目
決算期	第　期	第　期	第　期	第　期	第　期
決算年月					
従業員数（人）					
❶売上					
❷売上原価					
❸売上総利益					
❹役員報酬					
❺給与					
❻賞与					
❼法定福利費					
❽福利厚生費					
❾減価償却費					
❿その他の経費					
⓫営業利益					
⓬特別損益					
⓭経常利益					
⓮付加価値額					

重要指標一覧

項　目	1年目	2年目	3年目
⓯売上伸び率			
⓰営業利益伸び率			
⓱人件費伸び率			
⓲累積経常利益（1年後〜3年後）			
⓳費用対効果（補助金100万円に対して）			
⓴従業員一人あたりの付加価値額伸び率			

18ステップ完了！

今、あなたは3段階18ステップの取り組みで、
①事業のアウトライン
②具体的な事業内容
③会社全体の効果を数値化する
の3つを手に入れた。

この取り組みによって、今まで見えなかったあなたの事業の将来像が明確になったことに驚いた方も多いだろう！

この事業計画は、生産性向上を目的とした多くの補助金に応用可能だ。

あとは、それぞれに取り組む補助金の要項などに従って内容を加筆すれば、審査員に説得力のある補助金事業計画となるだろう。

IT導入補助金など、詳細な事業計画の提出の必要のない補助金においても、事前の事業計画の有無で成果に大きな差が出るので、ぜひこの18ステップに取り組んでから補助金申請を出して欲しい。

Chapter 4
Summary

Ⅰ　3段階18ステップの事業計画作成にチャレンジしよう

Ⅱ　第一段階（ステップ①〜ステップ⑥）は、事業のアウトラインを掴む取り組み

Ⅲ　第二段階（ステップ⑦〜ステップ⑪）は、製品・サービスを中心に事業計画の中身を練っていく取り組み

Ⅳ　第三段階（ステップ⑫〜ステップ⑱）は、補助事業の数値計画の取り組み

Ⅴ　3つの取り組みを通して、補助事業計画書の作り方と補助事業が会社全体にどのような生産性向上をもたらすのかを試算するひとつの手法をマスターしよう

第 **5** 章

ほとんどの人が知らない？
採択率アップのテクニック

ほとんどの人が知らない
採択のために最も大切な3つのポイント

採択にはポイントがあるんだ！　しっかり抑えよう！

ぜひ聞きたいわ！

採択のために最も大切な3つのポイント

①事業が自社の強みを活かしていること

②事業計画に実現可能な具体性があること

③事業に明確な市場ニーズと市場規模があること

①自社の強みを活かしていること

「自社の強み」といった場合に、自社の持っている人・物・金・情報・経験などの「自社そのものの強み」と、自社の製品・サービスの価格・性能・販路・販売額などの「自社の生み出す製品・サービスの強み」の2つがある。

審査には最も重要なポイントだ。

なぜなら、審査員の興味は「自社の生み出す製品・サービスの強みは何か？」→「それを生み出し続けている自社そのものの強みは何か？」→「自社の強みを活かした新事業は何か？」という順番に移動するからだ。

自社の強みが事業に反映されているからこそ、他社に負けない競争力と他社に真似のできないオリジナリティーがある事業であると判断されるのだ。

②実現可能な具体性があること

　補助金の審査では、一般的に下記のような観点から具体性や計画性が評価されるので、事業計画にしっかりと記述する必要がある。

具体性が評価される項目	事業計画の記入事項
価格的・性能的な優位性	競合他社との性能比較表
事業の費用対効果	事業による経常利益の累計額
想定するユーザー像	ペルソナ設定やポジショニングマップ
市場規模と将来性	信頼できる統計資料やアンケート結果
課題とその課題の解決方法	課題解決のためのアクションプラン
生産性向上（売上アップ）の目標	売上・利益・付加価値額の目標設定
スケジュールの妥当性	費用ごとのスケジュール表
人員体制の妥当性	組織図・役割分担表

③明確な市場ニーズと十分な市場規模があること

　市場ニーズは、アンケートなどで集めた顧客の声など客観的データを元に想定する。市場規模は、統計資料などでマーケット全体の市場規模を想定し、市場ニーズ、自社商圏、自社のシェアなどで細分化して予測することで客観性のある、明確な自社売上などを予測することが大切だ。

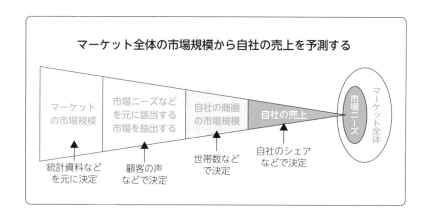

審査員目線に立てば
ゴールは見えてくる

 審査員の気持ちになったことがあるかい？

 そんなことは考えたことがなかったわ！

審査員目線に立って読み直してみよう！

　あなたが新製品を開発するなら、真っ先にその製品を使うお客様のことを考えるだろう。

　補助金の事業計画の提出先は、それぞれの補助金事務局だから、我々が今構想している事業の最初のお客様は補助金審査員ということになる。

　補助金の審査員は中小企業診断士などが行うことが多いそうだ。

　審査員の名前が公表されることはないので、実感はないが我々と同じように生活している一個人であることには間違いない。

少しの間、パソコン入力を止めて、自分が審査員になった気分で事業計画書を見直してみよう。

　すると不思議なことに、説明が不足な点や分かりにくい箇所が見えてくる。その一方で今まで必要だと思っていた説明が無駄に感じたりしてくる。

　私は、90％くらい計画書ができた段階で、この作業を行うようにしている。また、内容に行き詰まった時も審査員の目線を想像することで、思わぬ突破口を開くことが少なくない。

　下のチェックリストで、作成した補助事業計画書を見直して欲しい。新しい視点が見つかるはずだ。

▶ 審査員目線の補助事業計画書のチェックリスト

☑ **業界しか通用しない専門用語を使っていないか？**
専門用語が度々出てくる事業計画書は、その都度、用語を調べなければならず不親切なので、一般的な表現を心がけよう。

☑ **審査項目がチェックしやすい内容になっているか？**
あらかじめ審査項目が公表されている場合は、その審査項目がチェックしやすいように工夫しよう。

☑ **ストーリー性や独自性があるか？**
一人ひとりに個性があるように事業にも個性がある。あなたの個性が最大限表現できる計画書を作ろう。

☑ **大胆な売上アップが実現する事業計画書になっているか？**
生産性向上の方法は、売上アップかコスト削減のどちらかだ。補助金の審査では大胆な売上アップが好まれる傾向がある。

「文字と写真や図の配分」が採択を左右する

 意外に思うかもしれないが文字と写真の配分はとても大事だ！

 簡単なことで採択率が上がるならぜひ聞きたいわ！

どんなに優秀なビジネスプランでも文字だけでは伝わらない

　もしもあなたが素晴らしいビジネスプランを思いつき、補助金の申請をしたとしよう。写真や図を使わず文字情報だけでそれを表そうとすれば、補助金事務局から示された事業計画の枚数制限にすぐに達してしまうだろう。

　それを読む審査員も、文字情報を一字一句理解し、審査員の頭の中で再構成する必要があるので、審査に時間がかかる上に、正確に伝えることが難しいだろう。

テキストと写真や図の配分は面積比で7対3を目安に！

　テキストと写真や図の配分は面積比7対3を目安にしよう。つまり、事業計画書全体のテキストを70％程度、写真や図を30％だ。

　チラシやパンフレットなら、図や写真が半分以上を占めるだろうし、学術的な論文なら90％以上はテキストとなるだろう。

　補助事業申請書は、テキストが少ないと中身が乏しい印象を与えるし、図や写真が少ないと文字が多くて読みにくい印象を与える。経験則から導き出した配分は、テキスト70％、写真や図は30％の配分だ。

　右ページにレイアウトのイメージを示したので参考にしてほしい。もちろんこれは一例だから、あくまで目安と考えてほしい。

　「事業計画がよければ、レイアウトは重要ではない」という意見もあるだろう。しかし、大量の事業計画書を審査する審査員の立場に立つと、見やすいレイアウトは重要なファクターと言えるだろう。採択事例の報告書などを参考に見やすいレイアウトを目指してほしい。

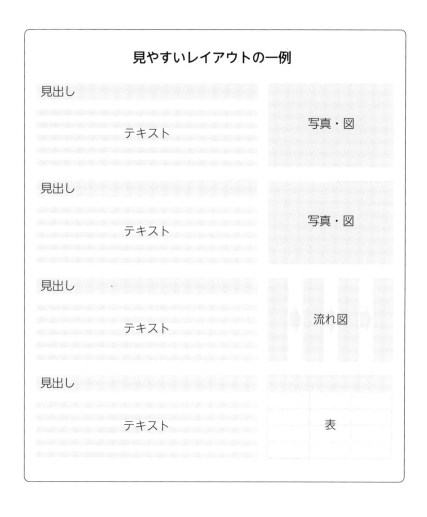

審査時間は10分と仮定して わかりやすい内容を心がけよ！

 これだけ頑張ったのにたった10分で審査が終わるの！？

 審査時間は公表されていないが、たくさんの補助金を
審査しなければならない審査員のことを考えて、わかりやすい内容
にしよう。

「審査時間10分」はホント？

　そのような審査の状況は公表されていないので実態はわからないが、毎回数多くの補助金申請が寄せられるので、審査時間はさほど長くないと考えられる。

　そこで短い時間でも、審査員にわかりやすく、好印象を与える事業計画書のテクニックをいくつか紹介しよう。

ポートレートは明るく前向きな印象を与えるものを

　事業概要では、経営者のポートレートを掲載するケースが多い。特に個人事業主の事業計画書では、代表者の思いや能力が事業の実現性に大きく関わるので尚更だ。そこで、ポートレートを掲載する場合は、明るく前向きな印象を与えるものを選ぼう。

グラフは要点が一目でわかるように

グラフはエクセルで作ったものをそのまま使うより、ポイントになる数字やトレンドを示す矢印を入れてわかりやすくしよう。

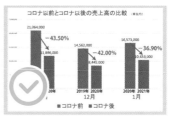

「工程」や「流れ」の説明は図にする

事業計画書では、「工程」や「流れ」の説明をすることが多い。こういう場合は文章ではなく、図にすると一目でわかり、審査員の理解が早まる。

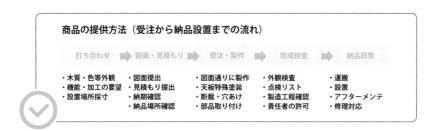

大切なポイントを赤ワクで囲う

写真や図を使う場合は、注目して欲しい部分を枠で囲うと審査員の理解を助けることになり、採択率に好影響を与えるはずだ。

統計資料には「グラレスタ」を使うと事業計画の信頼性が高まる

 統計グラフ化ツール「グラレスタ」を知っているかい?

 初めて聞く名前だわ。新しいスイーツの名前かしら?

統計グラフ化ツール「グラレスタ」

　「グラレスタ」とは、中小企業・小規模事業者や企業支援に従事する人たちに向けた市場動向を把握するための無料のツールだ。

　経済産業省が集計している約1,600の生産品目の国内生産量を調べることができる。

　経済産業省が集計している確実性の高いデータをグラフ加工できる上、2品目の比較やグラフの積み上げが可能だ。

　補助事業計画の信頼性と説得力を増すために、このツールを積極的に使おう。

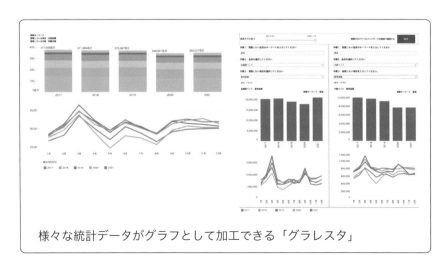

様々な統計データがグラフとして加工できる「グラレスタ」

URL

https://mirasapo-plus.go.jp/hint/18382/
（中小企業向け補助金・総合支援サイト　ミラサポ plus）

対象

中小企業、個人事業主

目的

市場動向の把握、新規事業の立ち上げの検討

内容

品目別の長期的（10 年間）な動向把握

品目（全 1600 品目程度）の年別、月別グラフで、生産額や数量の推移を表示でき、関連する品目の動向を確認できる。

選択した 2 品目のグラフの比較

10 年間の生産額や数量の推移を同時に表示でき、2 品目の生産推移を比較して見ることができる。

選択した品目の積み上げグラフの表示

複数品目を選択した場合、10 年間の生産額や数量の推移を積み上げグラフで表示でき、関連品目の合計生産額や数量の推移を見ることができる。

収録データ

地域：**全国**
単位：**事業所（約 14,000 事業所）**
対象：**一定規模以上全数調査（品目により異なる）**
品目：**約 1,600 品目（109 種類の調査票）**

不採択でも不採択理由を聞けば、再チャレンジができる！

 不採択になったらそれで終わりなの？

 期限内なら再チャレンジできるものも多いんだ！

不採択になったら「不採択理由」を聞こう

事業再構築補助金やものづくり補助金など大型の補助金では、不採択になった場合「不採択理由を教えてほしい」とオペレーターに伝えると口頭でフィードバックしてもらえる。

不採択理由の内容は、ほぼ定型文と思われるが、次回申請へ向けての唯一の拠り所となるため必ず確認するようにしよう。

審査員コメントは、メモを取るか録音をしてあとで振り返れるようにしておこう。

再チャレンジの準備を始めよう

不採択になってもそれで終わりではない。不採択理由を分析し、具体的な修正方針を決めて再チャレンジへの準備を始めよう。

事務局の不採択コメントを聞くだけでは事業計画書の修正はほぼ不可能だ。審査員コメントを自分なりにかみ砕いて内容を加筆・修正することが必要となる。

不十分な分析での再チャレンジは、繰り返し不採択になる可能性もあるので、不採択理由に沿った修正箇所を十分検討してから、再チャレンジしてほしい。

不採択になったら行うべきこと

1. 次回の申請スケジュールを確認する

2. 事務局に不採択理由を問い合わせる

3. 不採択理由を分析し、具体的な修正方針を決める

4. 再チャレンジの準備を始める

大手コンサルと個人コンサル
あなたはどちらを選ぶ？

補助金コンサルタントのネット広告が増えた気がするけど……

補助金コンサルタントの見極め方を教えよう！

2020年以降の補助金大型化でコンサルタントが続々誕生している

　2020年以前、大半の補助金は社内の人材や経営者が申請を行なっていた。しかし、2020年以降、コロナウイルス感染症による補助金が大型化した一方で、社内の人材や経営者はコロナウイルス感染症の対応で精一杯となり、コンサルタントに依頼するようになったのだ。その結果、ここ数年で補助金コンサルタントが急増した。

大手コンサルタントと中小・個人コンサルタントが混在している

　補助金コンサルタントは、金融機関などと組んで全国組織で大量の案件をこなしている大手のコンサルタントと、商工会議所や商工会に登録し地元密着で案件を受注している中小・個人コンサルタントに大別できる。

　事業再構築補助金、ものづくり補助金などの大型の補助金は、金融機関からの借り入れが必要な場合があることから大手コンサルタントが強く、小規模事業者持続化補助金など比較的小規模な補助金では、中小・個人コンサルタントが多い印象だ。

　中小・個人コンサルタントには、税理士、行政書士、中小企業診断士などの士業、認定支援機関、特に資格を持たないが補助金の申請や事業計画に詳しい民間コンサルタントまでバラエティーに富んでいる。

　規模だけではなく、コンサルティングの手法もまちまちだ。そのため、今後は業界内のルール化や国による法制化が行われると思われる。

補助金コンサルタントの評価基準が存在せず曖昧!?

依頼する側の企業や経営者は、補助金コンサルタントを評価する基準が明確でないために、自ら情報をとって、独自の判断をするしかないのが現状だ。

補助金コンサルタントの長所と短所を把握しよう

先ほど述べた通り、補助金コンサルタントはバラエティーに富んで一概に分類するのは難しい。最近はインターネットで様々な補助金コンサルタントの広告が多く出ているが、コンサルティング内容がはっきり示されていなかったり、過激なキャッチコピーも横行しているように感じる。下の表を一読いただき、補助金コンサルタントを見る目を養っていただくことが採択率をあげる近道である。

大手コンサルタントと中小・個人コンサルタントの特徴

	長所	短所
大手コンサル	・銀行とのコネクションがあり、借入が圧倒的にしやすい。 ・豊富な実績があり採択率も高いので、全て任せられる。 ・コンサルティングの品質にばらつきが少ない。	・交付申請、実績報告など、専門知識と事務作業が必要なサポートが別料金になっているケースが多く、割高になることがある。 ・経営者がよく理解しないまま、採択申請が行われることが多い。
中小・個人コンサル	・大手ができないきめ細かなサービスが受けられる。 ・事業計画を時間をかけて練り上げる時間的な余裕がある。 ・複数のコンサルタントの契約など、自由度が高い契約ができる。	・サービスの内容に個人差、企業差が大きく、事前の十分な確認が必要となる。 ・コンサルタントの離脱や廃業のリスクを常に意識し、継続性の対策が必要である。

成功報酬で大切なのは
算定基準額と支払いのタイミング

成功報酬って各社ごとに違うから迷うなあ。

たしかに分かりにくいね。その辺を解説していこう。

そもそも、補助金に成功報酬はなぜ必要なのか？

　補助金コンサルタントは、依頼先の会社が採択されるかどうかに関わらず、申請作業に多くの時間とノウハウを使う。

　しかし、依頼する側は、採択されればいいが、採択されなければ、コンサルタントに支払う費用が無駄になってしまう。

　だから、依頼する企業のリスクを回避する方法として、着手金を低く抑えて、採択された企業から成功報酬という形を取っているんだ。

成功報酬で大切なのは、算定基準額と支払いのタイミング

　ホームページで補助金コンサルと検索すると成功報酬5％、10％とキャッチーな言葉とともに数字が並ぶので、どこがお得なのか悩んでしまうだろう。

　しかし、大切なのは、成功報酬の割合よりも、その割合の元となる「算定基準と支払いのタイミング」なんだ。

　右の図の通り、算定基準額をどこで計算するかで、実際に成功報酬として支払う金額は大きく変わる。

　また、支払いのタイミングも、採択発表の段階で請求される場合、銀行の借入をする前にコンサル費用を払わなければならなくなるので、事前に確認が必要だ。

　成功報酬として補助金コンサルタントに支払う金額は、算定基準をどこにするかで大きく変わってしまう（下図参照）。

　契約前に、成功報酬の算定基準をしっかり聞いておくことが大切だ。

成功報酬の算定イメージ【事業総額（税込）：1,100万円、補助率1/2の場合】

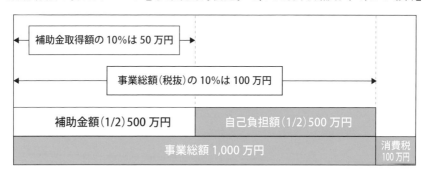

成功報酬の支払いのタイミングを知ろう！

　事前コンサル費用・成功報酬の支払いについて、事前コンサル費用は下の図の❶支援開始時に、成功報酬は、❷採択発表時、❸交付決定時に支払うのが一般的だ。必ず事前にコンサルタントに確認しよう。

支払いタイミングのイメージ

失敗しない
補助金コンサルタントの選び方

自分で申請する時間のない人は諦めるしかないの?

補助金コンサルタントに依頼するのが一般的になりつつあるよ!

補助金コンサルタントの現状

　過去においては、税理士、中小企業診断士などが顧客サービスの一環として行う場合が多かった。

　コロナウイルス感染症の影響などで補助金が大型化した2020年以降は、専門のコンサルタント会社も多くなった。

　そうしたコンサルタント会社の中には、銀行などの金融機関と業務提携して全国的に案件を集めるところもある。

　商工会・商工会議所は相談件数の増加で対応に苦慮しており、講師を招いてセミナーを行なったり、専門家派遣制度などを利用し、個別相談に対応するケースも多い。

補助金適正化法に補助金コンサルタントの規定はない

　一口に補助金コンサルタントと言っても、その業務範囲や料金はまちまちだ。国や地方公共団体の補助金は、「補助金適正化法」という法律によって使い方などが規定されているが、「補助金コンサルタント」という資格の規定はなく、それぞれのコンサルタントの解釈で行なっているのが現状である。様々な補助金コンサルタントが存在するのはそのためだ。

　コンサルティングを依頼する場合は、右の図を参考にして、コンサルタントの業務範囲や料金をよく確認してから契約を行おう。

	事業計画書作成支援タイプ	採択支援タイプ	事業費獲得支援タイプ	経営コンサルタントタイプ
補助金選定支援	▼	▼	▼	▼
事業計画書作成支援				
申請代行				
採択発表				
交付申請				
交付決定				
補助事業実施				
実績報告				
後年報告				

▶事業計画書作成支援タイプ

セミナーやオンラインサロンで補助金の知識や情報を提供し、申請支援は行わないコンサルタント。

▶採択支援タイプ

採択時の成功報酬支払いでコンサルティングが終了する。大手に多いタイプで、事務作業の多い交付決定や実績報告は別料金を設定。

▶事業費獲得支援タイプ

最もコンサルタントの力量が試される採択後の交付申請まで支援する。補助金初心者にはこのタイプがオススメである。

▶経営コンサルタントタイプ

補助金の採択後のビジネスの展開に主眼を置くフルサポートタイプ。複数の補助金を取得してビジネス展開を加速させることも可能。

Chapter 5
Summary

I 採択のために大切な3つのポイントを理解
   して、採択率アップを目指そう。

II 審査員目線に立って事業計画を見直せば、
   よりわかりやすい事業計画ができる。

III 審査は10分と仮定して、短時間でも審査
   員が理解できる表現を工夫しよう。

IV 不採択でも諦めない！不採択理由を聞いて
   再チャレンジだ！

V 適切なコンサルタント選びのポイントを理
   解して、良きパートナーを得よう。

第 **6** 章

自分でできる！
補助金申請の実務

申請書と提出書類の準備が
できたので
次は補助金申請ですね。

いよいよですね！
一緒に補助金申請を
やってみよう！

jGrants（ジェーグランツ）で電子申請をやってみよう

申請はコンサルタントさんがやってくれるの？

原則、申請は申請者である企業の経営者が行うものなんだ！

jGrants（ジェーグランツとは）

　jGrantsとは、書類記入や郵送手続きなどで煩雑だった補助金申請業務を簡素化するため、2020年4月に経済産業省がリリースした電子申請システムだ。jGrantsを使えば、インターネット経由で場所や時間を問わず補助金の申請手続きが可能になる。

GビズIDとセットで利用することで本人確認を省略する

　このシステムは無料利用できるが、ログインのためには「GビズID」の取得が必要となる。GビズIDを利用することでこれまで本人確認のために行っていた書類への押印も不要となるのだ。

政府の補助金申請サイト「jGrants（ジェーグランツ）」

操作マニュアル

jGrants（ジェーグランツ）の電子申請

　jGrantsでできる補助金の電子申請は下記の図にあるように、①公募申請、②交付申請、③実績報告書提出、④補助金請求の補助金の事務のほぼ全てのシーンで必要となる。ホームページからマニュアルがダウンロードできるので確認しておこう。

①公募申請

1.補助金を検索
申請したい補助金を「補助金を探す」から検索する。

2.GビズIDの取得／ログイン
申請したい補助金を見つけたら、GビズIDを取得してログインする。

3.公募の内容を入力して申請
必要事項を入力し申請する。

【採択の決定】

②交付申請

4.交付の内容を入力して申請
「マイページ」から対象の補助金を選択。必要事項を入力し申請する。

【交付の決定】

③実績報告書提出

5.マイページから必要な手続き
事業開始後、「事業計画の変更など」が発生したら必要な手続きをする。

6.実績報告
事業または事業期間が終了したら「マイページ」から「実績報告」をする。

【補助金額の確定】

④補助金請求

7.請求
「マイページ」から「精算払請求」をする。

【補助金の受け取り】

申請方法は
郵送申請か電子申請かどちらにすべき？

補助金は紙の書類を郵送で申請が出せるの？

紙で申請できるものもあるが、電子申請が主流になりつつあるよ！

郵送申請が可能な補助金は多い

　補助金申請は数年前までほとんどが郵送での申請だったが、2020年4月に経済産業省が電子申請システム「jGrants」をリリースしたことから、現在では800以上の補助金がこの「jGrants」の電子申請を利用している。

地方公共団体の補助金はまだまだ郵送のものが多い

　地方公共団体の補助金ではまだ郵送のものが多いので、募集要項などをよく読んで対応する必要がある。

　「不備は即不採択」という原則があるので、前もってしっかり準備し、余裕を持って申請作業を行おう。

　右ページに郵送申請の際の注意点をまとめたので参考にしてほしい。

どちらか選べる場合は必ず電子申請を選ぼう

　小規模事業者持続化補助金など郵送申請か電子申請かが選べる場合は、必ず電子申請を選ぼう。「電子申請加点」の制度があり、郵送申請よりも有利に審査を進めてもらえる。事務作業もプリントアウトや封入・投函などの作業を省けるため、圧倒的に電子申請が有利だ。右の「申請書類郵送の際の注意点」を読んでほしい。

申請書類郵送の際の注意点

　郵送申請の場合は、大量の書類をプリントアウトやコピーをして、事務の要望通りに並び替え、封入・投函する必要がある。「不備は即不採択」が原則なのでしっかり、確実に書類を揃えよう。

印刷・コピーについて
　　プリントアウトした書類をホッチキス留めはしない
　　カラー・片面印刷が望ましい
押印について
　　法人の場合は、実印（代表者印）を使う
　　押印ミスをした場合は、印刷してやり直す
添付書類について
　　募集要項に従い漏れのないように揃える
　　登記簿謄本は提出日の３ヶ月以内に発行されていること
郵送について
　　宅急便は不可
　　速達は可

郵送申請と比較した電子申請のメリット

　電子申請か郵送申請かが選べる場合は、圧倒的に電子申請が有利だ。郵送申請に比べて電子申請がいかに有利か５つのポイントにまとめた。

1. 紙の無駄がない

2. 郵送代が節約できる

3. 郵便局不達・宛名間違いなどのトラブルが防げる

4. 申請期限ギリギリまで作業が可能

5. 電子申請の加点がつく補助金もある

応募者の1割以上が書類不備！
不備を防止する電子申請時の注意点

 書類不備が意外に多いのにはびっくり！

 せっかく取り組んだ事業計画が審査される前に不採択になるのはもったいないね。

初期の事業再構築補助金は1割以上が書類不備だった

2021年に初めて募集が開始された事業再構築補助金は、応募数の1割以上が不備となったようだ。

補助金には、「書類不備は即不採択」という厳しい掟があることが知られている。せっかくの申請が無駄にならないように、「よくある書類不備の事例」をまとめてみた。

よくある書類不備の事例

ケアレスミスによる書類不備

「人」がすることなので、ケアレスミスが多いのは仕方のないことだが、スケジュールに余裕がなく、十分な確認の時間が取れないときは、ケアレスミスが発生しやすい。申請予定日の1ヶ月前くらいから、申請日に向けて準備を行うとよいだろう。

募集要項の理解不足による書類不備

募集要項の理解不足による書類不備は、解消しないと何度申請を出しても不採択になる可能性があるので、その都度解消したいトラブルだ。コンサルタントや社内の協力者である第三者の意見も大切にしよう。

ファイル破損、パスワードによる書類不備

　事務局が繰り返しホームページなどで注意喚起しているのが、ファイル破損とパスワードがかかっていることによる書類不備である。

　電子申請が始まってまもないので、不慣れな面があり止むを得ない面もあるが、最後にもう一度確認することで防げる書類不備である。

有効期限を過ぎていることによる書類不備

　法人なら登記簿謄本（履歴事項全部証明書）、個人事業主なら住民票は申請時から３ヶ月以内に発行されたものに限られるケースが多いので要注意だ。

代表者名や屋号が一致していないことによる書類不備

　複数の会社、店舗を経営している場合や会社名・屋号の商号変更した直後によくあるのがこうした書類不備だ。

　引越しなどで住所が一致しない場合も時々あるので、該当する方はチェックしてほしい。

自署・捺印がないことによる書類不備

　最近は捺印廃止の動きから、「自署」を必要とする申請書も出てきた。また、補助金の印は印鑑証明の登録がしてある会社の実印のみ認められるケースがあるので注意してほしい。

申請前のチェックリストで
漏れをなくそう！

こんなに書類が多いなんて！

書類の不備がないように各補助金のホームページから
書類の一覧表を入手して漏れをなくそう！

各補助金でチェックリストが用意されている

　利用者が多い事業再構築補助金、ものづくり補助金、小規模事業者持続化補助金などのホームページには、提出書類の一覧表が準備されている。

　これらのチェックリストは、書類の不備を出さないために必須のツールだ。

商工会議所などで独自のチェックリストをもらえることがある

　応募者の多い補助金については、地元の商工会議所や商工会の担当者が独自に作成したチェックリストをもらえることがある。

　商工会議所主催のセミナーなどに積極的に参加してそのような情報をゲットしよう

自分でもオリジナルチェックリストを作ろう

　こうしたチェックリストは、全ての事業者、全ての募集類型で使えるようになっているため、ご自身が公募にチャレンジする募集類型の書類だけを抜き出して、オリジナルのチェックリストを作るとさらにわかりやすくなる。時間はかかるが書類不備を防ぐことに大いに役立つだろう。

各補助金のホームページでダウンロードできるチェックリスト

　下記のチェックリストは、小規模事業者持続化補助金、ものづくり補助金、事業再構築補助金のサイトからダウンロードしたチェックリストだ。

　必ずチェックリストをダウンロードして、提出書類をチェックしよう。

　オリジナルのチェックリストを作るとさらにわかりやすくなり、ミスを防ぐことができる。

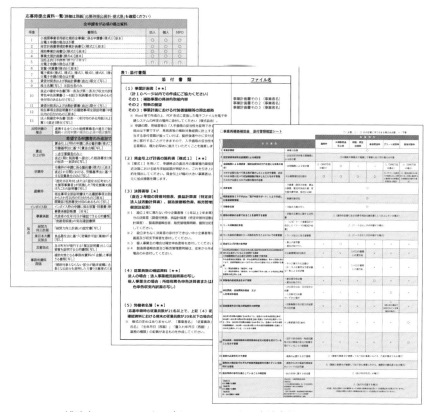

補助金ホームページでダウンロードできる申請書類チェックリスト

補助金に関する申請あれこれ
どれくらいの時間がかかる？

 補助金の申請にはかなりの時間が必要だと実感！

 書類が多いので十分な余裕を持ってスケジュールを組もう。

補助金申請には思った以上に時間がかかる

　補助金申請には思った以上に時間がかかるという声が多い。補助金申請にどれくらいの時間がかかるかを見てみよう。

経営革新計画（1ヶ月〜3ヶ月程度）

　事務局の混み具合や修正の回数によって3ヶ月程度かかることもある。

事業継続力強化計画（1ヶ月程度）

　書類準備、電子申請、承認まで合わせて1ヶ月程度。

GビズIDの取得（2週間程度）

　申請ホームページからプリントアウトした書類と印鑑証明を事務局に送ると、2週間程度で確認のメールが届く。

補助事業計画書の作成（1か月から3ヶ月程度）

　社会情勢や業績が変わることがあるので、なるべく3ヶ月以内には完成させるようスケジュールを立てよう。

電子申請（1-3日）、郵送申請（1週間程度）

　申請は電子申請の方が圧倒的に早い。郵送申請は書類準備に1週間はみ

ておく必要がある。

交付申請・交付決定（1ヶ月程度）

　採択後の交付申請は、業者の見積書作成に要する時間で申請までの期間が変わる。なるべく1週間以内には作成をお願いしよう。

補助事業実施（1年程度）

　実施期間は、補助金ごとに定められているのでそれに従う必要がある。以下に大まかな目安をまとめたので参考にしてほしい。

補助金にまつわる手続きにかかる期間の目安

実施時期	項目	期間の目安
申請前	経営革新計画	1ヶ月から3ヶ月程度
	事業継続力強化計画	1ヶ月程度
	Gビズ ID 取得	2週間程度
	補助事業計画書作成	1ヶ月〜3ヶ月程度
申請	電子申請（準備〜申請）	1-3日
	郵送申請（準備〜申請）	1週間程度
採択	募集締め切りから採択発表	3ヶ月程度
交付	交付申請・交付決定	1ヶ月程度
事業実施	補助事業実施	1年程度
実績報告	実績報告	1ヶ月程度

補助金申請に必要な
ハードウェア・ソフトウェア

 ところでスマホで申請はできないの？

 スマホのアプリでは申請が難しい。最低限必要なハードウェアとソフトウェアを紹介するね！

Word・Excel

書き込みが必要な補助金のフォーマットは、ほとんどがWordかExcelで作られている。

Acrobat

電子申請の場合、PDF形式の書類を大量にアップロードする必要がある。2ファイルのPDFを1ファイルにするなど簡単な加工が必要だ。

パソコン・ブラウザ

パソコンはWindows、Machintoshのどちらでも構わない。セキュリティのためOSはなるべく最新のものにしよう。ブラウザはChromeやEdgeが対応しているケースが多い。

スキャナ

決算資料などの資料を提出するのに必要。スマホのカメラ機能で代用できるケースもある。

電子申請に必要なハードウェアとソフトウェア

下の表は補助金申請に最低限必要なソフトウェアとハードウェアを書き出したものだ。申請前に準備しよう。

ソフトウェア	Excel	X	Excelファイルは、事務局からダウンロードされるファイル形式で頻繁に使われるもの。
	Word	W	Wordファイルは、事務局からダウンロードされるファイル形式で頻繁に使われるもの。
	Acrobat	PDF	電子申請書類の大半は、PDF形式で提出する。PDFの編集ができるAcrobatは必須。
	ブラウザ		Windows ：Chrome, Firefox, Edge MacOS, iOS：Chrome, Edge, Safari Android ：Chrome
ハードウェア	パソコン WinかMac		スマホやタブレットでは申請書類がかけないので、デスクトップパソコンかノートパソコンが必要。
	スキャナ		決算資料などの資料を提出するのに必要。スマホのカメラ機能で代用できるケースもある。
	プリンタ		郵送申請をする場合は、資料プリントアウトが必須である。そのほか、事業計画書の確認など出番は多い。
	Wi-Fi 有線LAN		資料ダウンロードや電子申請などを行うためネット環境は欠かせない。

Chapter **6**
Summary

Ⅰ jGrants でできる補助金の電子申請は、①申請、②交付申請、③実績報告書提出、④補助金請求で、補助金の事務のほぼ全てのシーンで必要となる。

Ⅱ 電子申請、郵送申請の書類不備をなくすため、どのような不備が多いか知ることが大切。

Ⅲ 補助金申請には十分な時間が必要。スケジュールをしっかり立てよう。

Ⅳ 補助金申請に必要なソフトウェアとハードウェアを準備しよう。

第 **7** 章

ここからがスタート!
採択から事業完了までの流れ

採択から補助事業完了までの流れ

やったー！初めての補助金採択。

おめでとう！採択は嬉しいね。さあ事業のスタートだ
大きく分けると下の4つのフェーズがあるんだ！

第1フェーズ：採択決定から交付決定まで

　採択されただけでは事業は開始できず、交付決定後に事業開始となる点
は覚えておこう。

第2フェーズ：事業開始から実績報告まで

　事業期間内に補助金対象経費で行なった事業を、期限までに報告書とし
て提出する。その際、取引の記録である証憑書類も合わせて提出する。

第3フェーズ：確定検査から補助金入金まで

　実績報告が提出されると確定検査となる。補助金で認められた経費が適
正に使用されたか検査され、問題がなければ補助金額が確定する。

第4フェーズ：効果報告から補助事業完了まで

　補助事業終了後の事業の成果を事務局に報告する。補助事業が完了して
も、50万円以上の資産は「取得財産等管理台帳」での適切な管理が必要
となるので、処分や転売を行う場合は十分注意してほしい。

採択から補助事業完了までの流れ

　補助金は、金額に目が奪われがちだが、事業完了までは数年間の長い道のりとなる。その間に目指すのは、あなたの事業の生産性向上だ！

第1フェーズ	1	採択決定	郵送またはメールで採択通知が来る。同時にホームページなどで公表される。
	2	交付申請	事業計画に関する詳細な見積書や仕様書の提出が要求される。
	3	交付決定	交付決定通知書が郵送またはメールで送られる。交付決定日から事業が開始できる。
第2フェーズ	4	補助事業開始	提出した事業計画書に沿って、事業期間内に申告した経費を使い事業を実施する。
	5	補助事業終了	定められた事業期間内に事業を完了する。補助事業期間を過ぎた経費は補助対象と認められない。
	6	実績報告	期限までに定められた証憑と行なった事業の報告書を事務局に提出する。
第3フェーズ	7	確定検査	補助事業終了後に、支出等が適切に行われたかを検査する確定検査を受ける。
	8	補助金額確定	確定検査に合格すると支給される補助金の額が確定し、補助事業者には補助金額確定通知が送られる。
	9	補助金額請求	確定通知が来たら、補助事業者が事務局宛てに補助確定金額を請求する。
	10	補助金入金	補助事業者の指定口座に事務局から請求された金額が入金される。
第4フェーズ	11	効果報告	補助事業終了後の事業の成果を事務局に報告する。通常1年後から定められた年数にわたり報告を行う。
	12	補助事業完了	補助事業が完了しても50万円以上の資産に関しては「取得財産等管理台帳」での管理が必要となる。

採択から補助事業完了までの流れ❶
【採択発表】

採択されてからは、まずはどうしたらいいのかな？

採択決定について説明しよう。

採択通知書が来てもすぐに事業は開始できない

「補助金は採択されたら事業が開始できる」という誤解をしている方が多い。採択決定は、全体の事業プランに対して事務局の審査を通過したことを示しているが、事業の開始は交付決定後でなければできない。

そのため、採択発表があったら、すぐに翌日から交付申請に向けた準備に入っていただくことをおすすめする。

採択されてもすぐにお金はもらえない

「採択されたらすぐにお金がもらえる」と思っている方も多い。給付金・支援金などは、給付決定したら入金という流れになるが、補助金は、事業実施後の確定検査で金額が確定しないと入金されない。それまでは、自己資金や銀行借り入れで、補助金交付予定額を自己負担する必要がある。

銀行借り入れを予定している場合は、採択発表前にその旨を金融機関の担当者に相談しておくといいだろう。

採択されても事業計画の修正が求められるケースがある

採択通知が来ても、全てが認められた訳ではなく、事業計画や給付額に変更が加えられることがある。

採択されても類型が変更される可能性がある

　同じように類型が変更となり、補助率が変わるケースもあるので注意が必要だ。

採択決定のポイント

　採択されてもすぐに事業は開始できないし、すぐにお金ももらえない。給付金・応援金・支援金などとは違うことを理解しよう。

　　○採択通知が来てもすぐに事業は開始できない

　　○採択されてもすぐにお金はもらえない

　　○採択されても事業計画の修正が求められるケースがある

　　○採択されても類型が変更される可能性がある

給付金・支援金と補助金の入金タイミングの違い

　給付金・応援金・支援金などは、給付決定したら入金という流れになるが、補助金は、事業実施後の確定検査で金額が確定しないと入金されない。

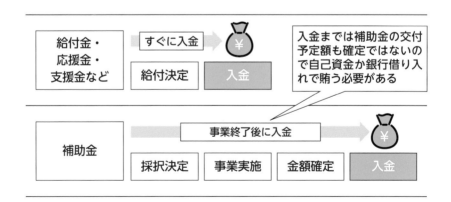

採択から補助事業完了までの流れ❷
【交付申請】

なんだ！採択されたらそれで終わりと思っていたわ。

交付申請を経て交付決定しないと補助対策事業は開始できないよ。

交付申請の期限は？

　交付申請には、「〇〇日までに」というような明確な期限が定められていない。基本的には採択結果が届いたらすぐに手続きをした方がいい。

交付申請は早めに行なった方がいい理由

　交付申請はなるべく早く始めよう。なぜかというと、補助対象事業を行えるのは採択決定から事業終了までの期間が定められているからだ。

　交付申請が遅れると交付決定に掛かる審査も後ろ倒しになるため、結果的に補助対象事業を実施できる期間が短くなってしまいかねない。

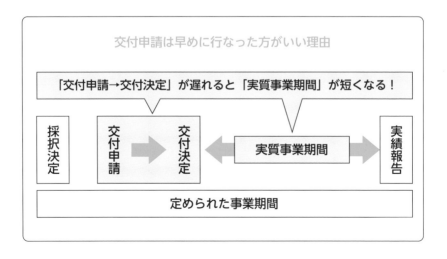

　交付申請に必要な書類は、大きく分けて３つある。それぞれの補助金で細かく規定されているが、要求された書類がどの分類なのかを理解しておくと準備も早くなるだろう。

> 必要書類１：費用の妥当性を証明できる書類
>
> 必要書類２：公的書類
>
> 必要書類３：事務局が要求するフォーマットへの記入

必要書類１：費用の妥当性を証明できる書類

　まず建物費、機械装置・システム構築費等の費用を証明する有効な見積書（相見積書含む）及び設計図・パンフレットなどが必要だ。

　ここでポイントとなるのが「費用の妥当性」だ。一般平均価格に照らし合わせてあまりにも逸脱し過ぎた（高すぎる）費用が掛かっている場合は、価格に妥当性がなく、不適格と判断されてしまうかもしれない。

必要書類２：公的書類

　補助金ごとで決められている公的書類の提出が必要。多くの場合、登記情報や税の滞納がないことの確認などを目的としている。

必要書類３：事務局が要求するフォーマットへの記入

　事務局が審査を円滑に行うために作成した書式やエクセルシートなどに記入または入力を行い提出する。

採択から補助事業完了までの流れ❸
【交付決定】

差し戻しされた！　どう対処したらいい？

指摘事項の修正と理由書の提出で乗り切ろう！

交付決定までの試練!?　「差し戻し」

　ものづくり補助金や事業再構築補助金など大型の補助金では、交付決定の前にほとんどの人が経験するのが事務局からの「差し戻し」だ。

差し戻しの指示が来ても慌てなくていい

　採択申請の際は「書類不備即不採択」の原則があったが、交付申請にあたっては、そのような原則はない。

　多くの場合は、事務局の指示に従って指摘箇所を修正することと、やむを得ない場合の理由書の提出で交付決定へと進めるはずだ。

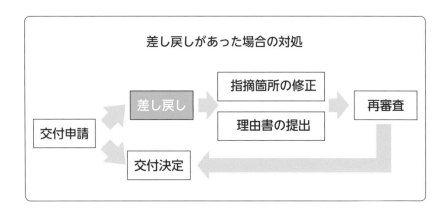

差し戻しがあった場合の対処

交付決定通知書の見方

　交付が決定すると交付決定通知書が郵送される（ダウンロードもあり）。この書類には交付決定した内容が網羅されているので大切に保管しよう。①〜⑧は補助事業を行う上で特に重要な項目だ。

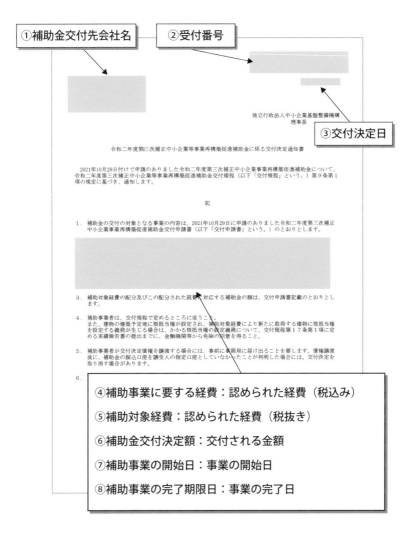

① 補助金交付先会社名

② 受付番号

③ 交付決定日

④ 補助事業に要する経費：認められた経費（税込み）

⑤ 補助対象経費：認められた経費（税抜き）

⑥ 補助金交付決定額：交付される金額

⑦ 補助事業の開始日：事業の開始日

⑧ 補助事業の完了期限日：事業の完了日

早めに交付決定が出てよかった！いよいよ事業開始ね。

事業開始にあたり、大切な「発注」と「消費税」について解説しよう！

交付決定日以前の「発注」は対象外

「事業の開始」とは、具体的には事業における「発注」を指す。交付決定前に発注していたものは、補助事業期間外として事業の対象とならない。

交付決定日以後に発注した事業のみが、補助事業の対象経費として認められる。（事業再構築補助金の事前着手制度など例外もある。）

補助事業の対象かどうかの判断例

期間判定	補助事業期間外	補助事業期間	補助事業期間外
○		見積依頼 ・ 見積 ・ 発注 ・ 納品検収 ・ 請求 ・ 支払	
○	見積依頼 ・ 見積	発注 ・ 納品検収 ・ 請求 ・ 支払	
×	見積依頼 ・ 見積 ・ 発注	納品検収 ・ 請求 ・ 支払	
×※		見積依頼 ・ 見積 ・ 発注 ・ 納品検収 ・ 請求	支払
×		見積依頼 ・ 見積 ・ 発注	納品検収 ・ …

※補助事業期間中の人件費などやむを得ない場合は認められる場合がある。

補助金で購入した物品の消費税は仕入控除しないのが原則

　補助金の大型化、消費税の10％への引き上げなどの影響で補助金と消費税の関わりは重要になってきている。下記に参考例をあげるが、税理士など税務の専門家と相談することを強くお勧めする。

補助事業における消費税の取扱いについて（参考例）

　事業活動による売り上げに掛かる消費税（預かり消費税）が1,000万円、仕入に係る消費税（支払消費税）を700万円として消費税の確定を行ったとする。

CASE1. 補助金を受けていない

　1,000−700＝300万円の消費税額を税務署に納付するのみである。

CASE2. 補助金を受けている

　補助金を受け、仮に支払い消費税700万円のうち200万円が補助金によるものであったとする。この場合、当該200万円は預かり消費税1,000万円は計上されない一方、支払い消費税700万には計上される。このため上記の例に加え、自らが負担していない当該200万円を国へ返還することも必要となる。

（注）ここでは、支払い消費税額700万円全額の控除が認められたことを想定。

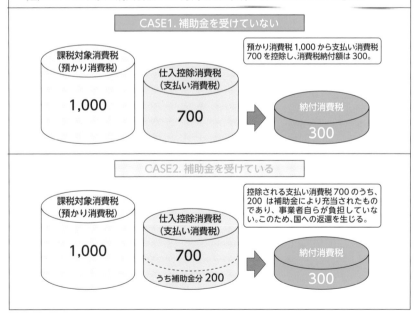

※出典：補助事業事務処理マニュアル　経済産業省大臣官房会計課　令和3年1月

採択から補助事業完了までの流れ❺
【補助事業終了】

 これから補助事業で認められた設備を搬入します！

 ではそろそろ事業終了に向けて大事なことをお伝えしよう！

事業終了してからでは遅いものもある！

　事業終了の際に行う実績報告の準備として事業の実施中にしかできないことがいくつかあるので共有しよう。あとで「忘れた！」ということがないようにしっかり頭に入れて欲しい。

事業終了前にしておきたい実績報告の準備

○補助事業経費で購入した物品の支払いの記録

○設備や建物の搬入設置の記録

○ネット広告実施の記録

補助事業経費で購入した物品の支払いの記録

　募集要項や手引きを参考に、銀行振込、クレジットカード、電子マネーの支払い方法に応じた証憑の保管方法を頭に入れておこう。

設備や建物の搬入設置の記録

　施設の改修などの工事は、工事前後に加え、工事中の写真が必要だ。設備は、設置前の設置場所（機器の搬入前）、搬入中の写真、搬入・設置後の写真を撮影しておこう。スマホでも十分対応可能だ。

ウェブ広告実施の記録

ウェブ広告は、印刷物などと違い形に残らないので、画面キャプチャをしておこう。

補助事業経費で購入した物品の支払いの記録

銀行振込	クレジットカード	電子マネー
銀行窓口から振込、ATMから振込、ネットバンクから振込それぞれのルールに従い証憑を保管	クレジットカード利用明細を残す。マーカーなどを引き、余白に該当する支払金額の内訳を補記	領収書と電子マネーの支払履歴画面、登録情報画面を保管

設備や建物の搬入設置の記録

例1：工事前　　　　　　　例2：工事中　　　　　　　例3：工事後

ウェブ広告実施の記録

発注書	納品書・請求書	支払証憑	成果物
「広告開始年月日」と「広告終了年月日」がわかる広告媒体の管理画面等のキャプチャの保管	広告媒体サイトの管理画面より納品書・請求書発行（確認や印刷）	補助事業期間中に広告費を支払った銀行預金通帳の写し、カード明細の写し等の保管	どのような内容の広告を掲載したかがわかる広告が掲載された画面のキャプチャを保管

補助事業期間が終わった！さあ次は何をするの？

 補助事業終了後に提出するのが「実績報告」だ！

実績報告とは

　事業が終了したら提出するのが実績報告だ。補助金ごとに要求される書類が違うので注意しよう。支出を証明する書類は、経費項目ごとに作成するので経費項目が多い場合は提出準備に十分な時間を確保しよう。

実績報告書（事務局指定）

　各補助金のホームページなどから事務局指定のフォーマットをダウンロードし、記入（入力）し提出する。

支出を証明する書類

　経費区分ごとに見積書、発注書、納品書、請求書、支払いの控え、写真等、配布リスト等を取引順に並べる。郵送申請の場合はA4でプリントアウトし、電子申請の場合はPDFで保存する。郵送の場合、事務局がまとめてコピーしやすいようにホッチキス留めは不可。クリップなどでまとめよう。

支出を証明する書類

　収益納付に係わる報告書、取得財産等管理明細表などで募集要項や手引きを参考に提出する。

実績報告に必要なもの

ほとんど補助金で下記のような書類が必要となる。各補助金ごとに様式があるのでそれに従って作成してほしい。

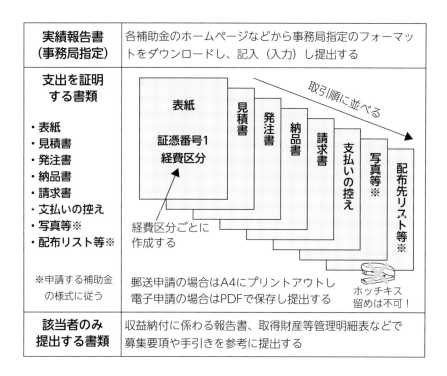

実績報告書 （事務局指定）	各補助金のホームページなどから事務局指定のフォーマットをダウンロードし、記入（入力）し提出する
支出を証明 する書類 ・表紙 ・見積書 ・発注書 ・納品書 ・請求書 ・支払いの控え ・写真等※ ・配布リスト等※ ※申請する補助金 の様式に従う	取引順に並べる 表紙 証憑番号1 経費区分 見積書 発注書 納品書 請求書 支払いの控え 写真等※ 配布先リスト等※ 経費区分ごとに作成する 郵送申請の場合はA4にプリントアウトし 電子申請の場合はPDFで保存し提出する ホッチキス留めは不可！
該当者のみ 提出する書類	収益納付に係わる報告書、取得財産等管理明細表などで募集要項や手引きを参考に提出する

実績報告書の提出手順

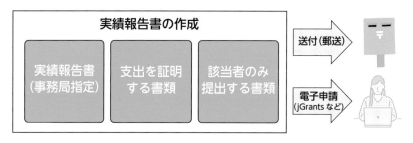

採択から補助事業完了までの流れ❼
【確定検査】

 確定検査ってなに？

 補助金が適切に管理されているかチェックするんだ。

確定検査とは

　実績報告をもとに事務局が補助金の使い道が適切かなどを検査するのが「確定検査」だ！この検査に合格して初めて補助金額が確定する。

　○事務局が申請内容どおりに補助事業が実施され、経費が適正に支出されたかを確認（チェック）。

　○提出された実績報告書の内容を確認し、必要に応じて現地調査・ヒアリングを行う。

確定検査に必要な「証憑」

　補助金の経費にまつわる取引の書類を「証憑」と呼ぶ。公的資金を扱うので、補助金にまつわる証憑は大変多い。その都度日付や金額を管理しておく必要がある。

　特に支払いに関する証憑は、重要なのでしっかり管理しよう。仕様書、見積依頼書、発注書などは、日頃の取引では省略されることが多い書類なので、確実に取引先に発行してもらおう。

目的をよく理解して、補助事業期間中から、確定検査に向けた準備を効率的に行おう。

○そのお金が正しく使われているか

○補助金の事業目的に合っているのか

○採択した補助事業が計画通り進んでいるのか

○当初予定とのかい離はないのか

確定検査ではどのようなことが検査されるか

補助金が適正に使われたかは、提出した「実績報告書」の内容で判断される。どのような視点で検査がされるか知っておくと、確実な実績報告ができるだろう。

証憑名	確定検査の検査項目
①仕様書・見積依頼書	正確な見積もりを取るために、見積り対象経費の仕様や数量などを正確に伝えているか？
②見積書	仕様書に合わせ【複数社】から見積りを取り、適正な価格で購入する努力をしているか？
③発注書（契約書）	最も安価な発注先を選定し、発注書または契約書を発行しているか？
④納品書・検収書	納品時に、見積書通りか確認し、検収作業を行なっているか？
⑤請求書	納品された商品の（実際にかかった金額の）請求書を受け取っているか？
⑥領収書（振込証憑）	支払後に領収書または入金確認書を受け取るか振込証憑を保管してあるか？

採択から補助事業完了までの流れ❽
【補助金額確定】

 びっくり、ここまで補助金は確定していなかったのね。

 採択がスタートという意味を少しわかってもらえたかな？補助金は採択されても使い道が適正かどうかの検査を終えないと確定しないんだ。

補助金額確定

　補助金事務局の実績報告書等の確認後、補助金事務局は補助金の額を確定し、「確定通知書」を補助事業者に通知する。

　それと同時に「精算払請求書」の申請依頼の通知があり、通知を受け取った後、「精算払請求書」に必要事項を入力し、電子または郵送にて提出することとなる。

流れ	事業者		補助金事務局
補助金額確定	補助金額確定通知を受け取る	通知	補助金額確定
補助金請求	請求書発行（精算払請求書発行）	提出	請求書の受取
補助金入金	補助金受取	入金	補助金交付

採択から補助事業完了までの流れ❾
【補助金請求】

通帳コピー添付の注意事項

振込口座が確認できる資料とは、
右の①〜⑥の全てが確認できる
ことが必要。

①金融機関名	
②支店名	③店番号
④預金の種別	⑤口座番号
⑥口座名義（カタカナの名義含む）	

通帳の場合	ネットバンキングの場合	当座預金の場合
通帳のコピーを添付する際は、「通帳の表紙」と「通帳を開いた 1 ページ、2 ページ目」をスキャン又は撮影。	金融機関名、支店名、店番号、預金の種別、口座番号、口座名義（カタカナの名義含む）が確認できる口座内容の写し、キャプチャー。	

添付画像の保存形式は、PDF、JPG、GIF、PNG

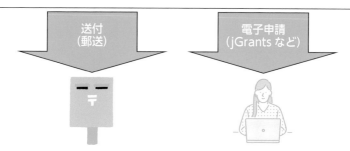

送付
（郵送）

電子申請
（jGrants など）

補助金が入金された!ところで税金はかかるの?

今回は補助金と税金について解説しよう!
こちらは様々な条件により変わるのであくまで参考まで。
税務申告にあたっては、税務の専門家にしっかり相談してほしい。

補助金は課税対象になるか?

中小企業や個人事業主など、事業者が支給を受ける補助金は、原則課税対象になる。中小企業の場合は法人税の、個人事業主の場合は所得税（事業所得）の課税対象。

補助金の計上日は補助金入金日か

実は補助金の計上は「権利が確定した日の属する事業年度となる」とあるので、「交付決定日」となる。

補助金の会計処理方法

補助金は、収入の中でも本業の売上以外の収入であるため、勘定科目は「雑収入」で仕訳をする。

決算をまたぐ場合の仕訳

原則としてその収入すべき権利が確定した日の属する事業年度となる。

固定資産の購入の際に税金を繰り延べる圧縮記帳

　事業を運営していく中で、国などから補助金を受取って機械などの固定資産を購入する場合でも、その補助金に対しては税金がかかる。

　それに対して税金を一度に支払うことになれば、結果的に受取った補助金の金額自体が減ってしまうことになる。

　そこで活用するのが圧縮記帳という制度だ。圧縮記帳とは、補助金などの臨時的に発生する一定の収入にかかる税金を、補助金を受取ったときに一度に課税するのではなくて、税金の支払いのタイミングを次年度以降に遅らせる制度となる。ただし、税金が免除されることではない。また、実際に使うためにはいくつか条件があるので専門家に相談しよう。

決算期をまたぐ場合の仕訳（参考）

　法人税の所得金額の計算上、ある収入の収益計上時期は、原則として、その収入すべき権利が確定した日の属する事業年度となる。

（法人税法22条2項、4項）

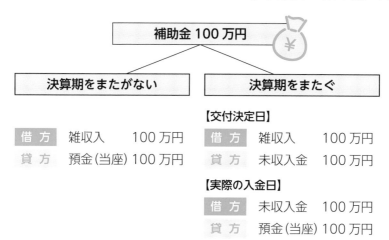

採択から補助事業完了までの流れ⓫
【事業効果報告】

 補助金取得からもうすぐ1年。その節はお世話になりました！

 補助事業の成果を報告する義務があるよ。忘れないでね。補助事業終了の1年後以降、定期的に数年間の報告を義務付けている補助金が多い。募集要項や手引きなどで確認してね。特に、賃上げ枠を申請している場合は報告が大変重要になる。忘れると補助金の返還を求められることにもなりかねないので要注意だね。

「賃金引上げ枠」で採択された事業者の賃金引上げ等状況報告

　補助事業終了から1年後において、給与支給総額の増加が実施できていない場合は、原則補助金を全額返還。

「事業場内最低賃金引上げ加点」をとった事業者の賃金引上げ等状況報告

　補助事業終了から1年後において、事業場内最低賃金の引上げが実施できていない場合は、原則補助金を全額返還。

　ただし、事業者の責めに帰さない理由がある場合は、補助金額の返還を求められない。

採択から補助事業完了までの流れ⑫
【補助事業完了】

やっと1年目の報告が終わりました！もう終わりでしょ？

いやいやまだ手は抜けない！　通常5年間は報告義務があるよ！

通常5年間は報告義務がある

　補助金によっても様々だが、補助事業終了後、5年間は報告義務があるのが一般的だ。文書や電子ファイルも、交付決定通知書など重要なものは念の為5年間は保存しよう。

成果発表の依頼

　補助金の取り組みが優れた事業者は、中小機構、地方自治体、商工会議所、商工会などから、取り組みの事例発表の記事の投稿やブログへの掲載、補助金セミナーなどのパネラーとして招かれることがある。

　あなたの取り組みは、後に続く人たちにとって貴重な資料となるため、自社のホームページなどでも積極的に情報開示をお願いしたい。

実地検査

　補助事業者は、補助金の使途、経理内容及び試作品等の開発の経緯等について、国の検査機関である会計検査院の実地検査を受ける場合がある。

　受検の時期、必要書類等については、別途、事務局より連絡があるため、事業に係る資料は、すぐに取り出せるようにファイリングして保管するといいだろう。

Chapter 7 Summary

Ⅰ 採択されてからの流れである3フェーズ、12の流れをあらかじめよく理解し、事業終了までをイメージトレーニングすることが事業の進行をスムーズにするコツだ。

Ⅱ 全体の流れを十分把握したら、事業期間内で全ての事業を終了させるようにスケジュールをしっかり立てよう。

Ⅲ 事後は何といっても書類の保管や管理が大変だ。支出を証明する書類は、経費項目ごとに作成するので、経費項目が多い場合は提出準備に十分な時間を確保しよう。

　ここまでお読みくださり、ありがとうございました。

　私の父は洋品店、母親は美容院を経営していました。その両親の口癖は、「零細企業は生活が安定しないから大きな企業に入りなさい。」でした。

　大学卒業時は両親の言葉に従い、「一流の大企業」に就職しました。

　ですが、いつしか両親と同じ零細企業の経営者になっていました。

　お客様との関係、資金繰り、社員さんの待遇と経営者の仕事は多く、苦労は尽きません。生活も安定しているとは言い難い現状で、先ほどの両親の口癖を思い出さない日はないほどです。

　しかし、両親の教えに反して起業の道を選んだことを後悔することはありません。どんな事業をしてもいい自由、お客様との強い絆、社員さんとの近い関係性など、大企業では実現できなかったであろう一つ一つの経験や人との繋がりは、私の人生に大きな財産を残してくれています。

　両親や証券会社時代に出会った中小企業経営者が私のあこがれに映ったのは、そうしたギリギリの世界で生きるリアリティが放つ光だったのではないかと思います。

　だから、私はどんな経営者に出会っても、少し話すとその事業の可能性がまばゆい光と共に想像できてしまうのです。そして、例外なくその世界にあこがれ、その事業を大きくして欲しいという思いが溢れてきます。

　今回私はそんな一人一人の中小企業の経営者のお顔を思い浮かべながら本書の制作に取り組みました。「補助金は小さな会社のためにある」「現状を整えたいなら助成金、未来を変えたいなら補助金を使え」という本書のフレーズは、そうした私の中小企業経営者に対する率直な思いから出てきたものです。

　トラブルや災害で自ら放つ光が見えなくなったり、あまりに厳しい現実を前に将来に希望が持てなくなった経営者の方に本書が少しでも勇気を与

え、補助金という選択肢を選ぶことで、可能となる新たな可能性に気づいていただけるきっかけになったらいいなと今からワクワク、空想しています。

　最後に、本書が生まれるまでに多大なお力添えをいただいた皆様に心よりお礼申し上げます。編集を担当くださった株式会社イースト・プレス中野亮太さん、すばらしいデザインをしてくださった八木麻祐子さん、素敵なイラストを描いてくださった福士陽香さんのお力がなければ本書は生まれませんでした。ネクストサービス株式会社 代表取締役 松尾昭仁様、大沢治子様には企画の初めからずっと支えていただきました。出版の先輩である内田晋平様にも様々な視点でアドバイスいただきました。西塔隆二様、しまおかおり様には同じPLAN コンサルティンググループとしてご一緒に活動させていただく傍ら、本書に関する様々なご意見をいただきました。

　私のビジネスの師であり憧れである中川俊彦様、人生の転機を応援してくださった土肥和芳様、公私にわたり支援くださる里野泰則様、会社員時代からご指導くださっている岡田邦裕様、私の活動を支援くださりいつも見守ってくださる水谷哲也様、私をIT コーディネータに導いてくださった水口和美様、商工会での活動のきっかけを作ってくださった中川実様、多くの経営者にお引き合わせくださる吉本春菜様、ここまでの道のりを応援してくださりありがとうございました。そして、株式会社ニューフォースのスタッフである山本登母さん、粥川弥生さん、高橋弥生さん、玉置真名さん。みんなの支えがなければ、私はとっくにギブアップしていたことでしょう。本当にありがとう。

2022年12月　尾上 昌人